아이를 위한
감정의 온도

엄마의 마음 관리법

아이를 위한
감정의 온도

한성범 지음

포르체

차례

Chapter 2. 부모의 감정 온도를 낮추는 법

2부. 아이를 위한 감정의 온도

Chapter 1. 아이가 세상을 보는 눈

Chapter 2. 아이의 감정 온도를 낮추는 법

에필로그

아이는 감정의 온도를
느끼며 자랍니다

정서가 안정된 아이일수록 집중력이 좋습니다. 집중력이 좋은 아이는 공부를 더 잘할 수 있는 확률이 높습니다. 주의가 산만하지 않고, 현재 주어진 과제에만 몰입하기 때문입니다. 비단 공부뿐만이 아닙니다. 감정을 조절할 줄 아는 아이는 행복하게 자랍니다. 부모와 형제들과 관계를 잘 맺는 아이는 친구와는 물론 사회인으로서도 관계 맺기를 잘하게 됩니다.

  하버드 연구진이 밝힌, 인간의 행복을 결정하는 요소는 '관계'입니다. 감정을 조절한다는 것은 단순히 '참는 것'이 아닙니다. 올바르게 소통하고 스스로 감정을 조절하는 법을 익히며 성장하는 것입니다.

부모 또한 마찬가지입니다. 순간적인 격한 감정을 아이에게 드러내지 않았다고 해서, 아이가 감정의 온도를 못 느끼지는 않습니다. 아이들은 표정이나 몸짓 같은 부모의 비언어적 표현조차 고스란히 느끼면서 자랍니다. 어쩌면 감정의 온도는 말로 표현하는 것보다 더욱 직관적으로 빠르게 아이에게 전달됩니다. 큰 소리로 화를 내거나 분노를 폭발시키지 않았다고 해서 감정을 잘 조절하고 있는 것이 아닙니다.

감정의 온도는 숨 쉬는 공기만으로도 전해집니다. 우리가 이 책을 통해 감정을 조절하는 법을 익혀야 하는 이유입니다. 이 책은 제가 20여 년 동안 교사로서 수많은 아이들을 만나면서 쌓은 현장 경험을 바탕으로, 동료 교사들과 함께 뇌과학과 감정을 연구한 결과물입니다. 오직 아이들과 학부모님을 위해서 이 책을 집필했습니다.

왜 '감정'에 주목해야 할까요

흔히 한국인은 '화'가 많다고들 합니다. 순간적으로 욱하는 감정 때문에 발생하는 범죄도 적지 않습니다. 그런데 오랜 기간 교직에 몸담으면서 아이들을 지켜보니 이것이 비단 뉴스에 나오는 어른들만의 일이 아니라는 것을 점점 느끼게 됩니다. 10년 전에 비해 요즘의 아이들은 수업 중에 별것 아닌 일로 고함을 지르거나 물건을 집어던지는 등 화를 이기지 못하는 경우가 많아졌습니다. 저학년 아이들도 쉽게 언성을 높이며 이해할 수 없는 격한 행동을 하는데, 흔히 말하는 분노조절장애를 겪는 것처럼 보입니다. 많은 교사들이 예전 아이들에게선 볼 수 없었던 모습이 요즘 아이들에게서 자주 보인다고 입을 모읍니다. 왜 이런 아이들이 많아지는 걸까요? 단순히 요즘 아이들이 사춘기를 일찍 겪어서 그렇다고 하기엔 석연치 않은 점이 많습니다.

부모들도 아이들의 변화를 느낍니다. 도대체 아이의 성격이 왜 이런지 모르겠다고, 혹은 어릴 땐 안 그랬는데 왜 이렇게 변했는지 모르겠다고 하소연하는 부모도 적지 않습니다. 훈계해도 그때뿐이니 자꾸 혼내고 부딪치다 보면 혹 자녀와의 관계에 부정적인 영향을 줄까 봐 걱정스럽고 혼란스럽다고도 합니다. 정말 이른 사춘기가 온 것일 뿐이니 이 시기만 지나면 괜찮을까요? 아니면 이런 아이들에게 혹시 다른 이유가 있는 것일까요? 어쩌면 아이들은 '저 지금 너무 힘들어요'라고 어른들에게 도움을 구하는 것일지도 모릅니다. 그렇다면 사춘기라는 말로 쉽게 지나칠 것이 아니라, 심각한 감정의 문제로 봐야 합니다.

우리는 평소 자신의 기분이나 다른 이와의 관계에 문제가 생기더라도 감정에 의구심을 품는 데에는 익숙하지 않습니다. 하지만 사실 우리가 접하는 많은 문제는 감정과 밀접하게 맞닿아 있습니다. 사람은 이성보다 오히려 감정에 의해 움직이는 동물입니다. 의지가 약해서가 아니라, 인류가 진화하는 과정에서 뇌가 그렇게 설계되었기 때문입니다. 그래서 이성과 감정이 부딪치면 감정에 의해 행동합니다. 머리로 생각하면 이해가 되지 않는 행동일지라도 말이죠. 그만큼 감정은 우리의 삶을 움직이는 주된 요소 중 하나이지만, 우리는 감정에 대해 아는 게 많지 않습니다.

부모들도 아이들의 인지 발달에는 민감하게 반응하고 면밀히 파악하는 반면 감정의 발달에는 무디거나 무관심한 경우가 많습니다. 부정적인 감정을 자세히 살피거나 다루는 법을 알려고 하지 않고 그저 감추거나 억눌러버립니다. 어른들은 금방 욱하거나 화내는 아이들에게 대개 화를 참거나 숨기라는 처방을 내립니다. 그 순간에는 잠깐 화가 가라앉는 것처럼 보이지만 여전히 마음 깊은 곳에서는 부정적인 감정이 아무도 손대지 않은 날것으로 남아 있습니다. 언제 폭발할지 모르는 화산처럼 아이들의 마음 깊은 곳에서 감정이 펄펄 끓어 넘치고 있습니다. 이렇게 끓어오르는 감정은 아이들의 올바른 성장을 방해하는 요소가 될 수밖에 없습니다. 아이들이 서로에게 상처 주고 또 상처받는 원인이 되지요.

아이들이 사춘기를 무난하게 보내기 바란다면, 또 아이들을 이해하고 올바르게 이끄는 방향을 알고자 한다면 감정을 소홀히 흘려보내서는 안 됩니다. 이 감정이 어디에서 나왔는지, 또 상대방과 내 관계에서 감정이 어떻게 상호작용하고 있는지 찬찬히 들여다보아야 합니다. 감정 발달은 타고나는 것이 아니라 후천적으로 이루어집니다. 부모와 형제로부터, 또는 주변 친구들과의 관계를 통해서 배우게 됩니다. 이 책은 우리 아이들의 정서적 안정과 배움에 대한 해답을 바로 감정의 온도에서 찾고 있습니다.

감정 온도

미국의 심리학자 제임스 러셀James Russell이 발표한 '감정 원형 모형'이라는 이론이 있습니다. 28가지 감정을 긍정적 감정과 부정적 감정, 높은 각성과 낮은 각성으로 분류해 각각의 위치를 그래프로 나타낸 것입니다. 그래프의 가로축은 감정의 쾌감 정도를 나타내며 세로축은 각성의 높낮이를 나타냅니다. 러셀의 감정 모형을 살펴보면 우리가 주로 느끼는 감정이 그래프의 어느 위치에 자리하고 있는지 알 수 있습니다. 눈금에 따라 각각의 감정에는 온도가 있습니다. 수은이나 알코올의 팽창 정도에 따라 온도계의 눈금이

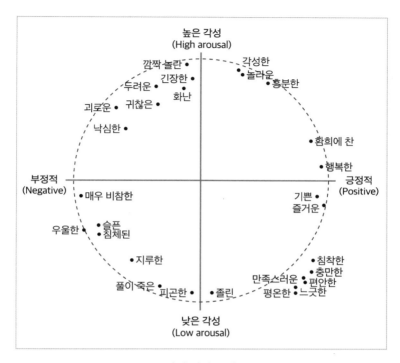

감정 원형 모형

달라지듯, 감정은 쾌감이나 불쾌감, 흥분이나 안정의 정도에 따라 그래프에서 위치가 달라집니다. 이것을 '감정 온도'라고 정의하겠습니다.

그런데 연구자들과 교육 관계자들의 설명에 따르면 아이들이 느끼는 흥분과 불쾌감의 정도가 점차 높아지고 있습니다. 아이들의 감정이 전체적으로 그래프의 오른쪽에서 왼쪽으로 이동하고 있는 겁니다. 또한, 중간 정도 각성의 감정들도 점차 위로 상승하고 있습니다. 예를 들면 친구와 가볍게 다퉜을 때 아이들은 '실망'과 비슷한 감정을 표출해야 합니다. 하지만 실망 대신에 그보다 각성 정도가 높은 분노라는 감정을 표출하는 아이들이 늘고 있습니다.

이처럼 감정의 온도가 올라가면 감정은 필요 이상으로 팽창하게 됩니다. 낙심이라는 감정이 팽창하면 두려움이나 분노로 이어질 수 있고, 우울이라는 감정이 팽창하면 '매우 비참함'이라는 감정으로 변할 수 있습니다. 이처럼 감정 온도가 극단에 치우치면 정서적으로 많은 에너지를 소모하게 될 수밖에 없습니다. 금방 지치고, 타인과의 관계에서 쉽게 실망하거나 포기하게 됩니다. 따라서 감정 온도를 전체적으로 낮추는 것이 중요합니다. 감정 온도가 낮아서 자신의 감정을 또렷하게 이해하고 처리하는 아이들은 안정적으로 관계를 맺으며 상대방에 대한 이해도가 높습니다. 신기하게도 학습 의욕 역시 높아집니다.

감정이 배움으로 이어집니다

흔히 학습 능력이 좋아 영재라고 불리는 아이들에게는 대부분 비슷한 특징이 있습니다. 부모가 교육적으로 오히려 큰 관심이 없다는 것입니다. 대신에 부모가 정서적으로 안정되어 있어 아이들에게 정신적으로 편안한 환경을 제공합니다. 아이들을 다그치거나 비난하는 빈도가 낮고, 아이들이 좋아하는 것을 스스로 자유롭게 찾을 수 있도록 묵묵히 뒷받침해줍니다. 부모가 잔소리하지 않는 아이들의 학습 성과가 왜 더 뛰어난 걸까요?

1990년 미국의 예일대학교 심리학과 교수인 피터 샐로비Peter Salovey와 뉴햄프셔대학교 심리학과 교수인 존 메이어John Mayer는 '정서 지능'이라는 개념을 발표했습니다. 정서 지능은 다른 사람의 감정뿐 아니라 자신의 감정을 잘 이해하고 조절하며 표현할 수 있는 능력입니다. 정서 지능이 낮은 아이들은 짜증이나 분노 같은 부정적인 감정을 다스리는 방법을 몰라 감정에 휩쓸리기 쉽습니다. 반면, 정서 지능이 높은 아이들은 자신이 느끼는 감정의 정체를 알기 때문에 어렵지 않게 감정을 자유자재로 조절합니다.

정서 지능은 지능이 높거나 머리가 좋은 것과는 다르지만 학습에 대한 동기와 욕구에 영향을 줍니다. 학습 능력을 높이기 위해서는 아이들에게 무언가를 탐구하고 궁금해하는 마음이 궁극적으로 필요합니다. 호기심을 가지고 스스로 배우고자 하는 마음, 열정과 집중력, 추진력이 있는 아이들은 결국 한 분야에서 성공할 가능성이 큽니다. 아무리 머리가 좋아도 배움에 대한 동기가 왕성한 아이들을 따라가긴 어렵습니다.

여기서 중요한 건 아이들의 정서 지능 발달이 부모와 관련이 있다는 겁니다. 정서 지능은 책이나 수업이 아니라 관계를 통해서 발달합니다. 부모와의 관계에서 감정을 표현하는 법을 배우고, 자신의 감정이 어떻게 수용되는지 익히면서 발달합니다. 부정적인 감정을 느꼈을 때 무작정 화를 내거나 도망치는 것이 아니라 어떻게 처리해야 하는지 알게 됩니다. 그러다 보면 막연한 불안감이 해소되면서 안정적이고 차분한 아이가 될 수 있습니다.

불안한 마음에 학원을 서너 군데씩 보내지 않아도, 감정을 안정적으로 익힐 수 있는 환경을 만들어준다면 아이들은 자연스럽게 배우는 재미를 느끼게 됩니다. 부모가 맞벌이라 바쁘다고 해서 아이가 무조건 학습에 뒤처지지도 않습니다. 유아기 때부터 밀착 육아로 애착을 형성해도 꼭 사춘기를 무난하게 넘기는 아이가 되지는 않습니다. 아이의 영재성과 잠재력을 키워주는 것은 결국 부모의 감정입니다.

부모의 감정 온도부터 낮춰야 합니다

'아이는 부모의 거울'이라고 하지요. 아이들은 필연적으로 부모를 통해 세상을 체험합니다. 생각해보면 아이들에게 무엇을 가르치기에 앞서 부모 스스로가 감정을 어떻게 다루고 있는지 돌아봐야 하는 게 지극히 당연합니다. 물론 알면서도 어려운 일이지요. 부모라면 누구나 별것 아닌 일로 화가 치밀어 아이에게 윽박지르고는 돌아서서 금세 후회해본 경험이 있을 겁니다. 가족은 자아를 빚어내는 가장 핵심적인 세계입니다. 서로 영향을 주고받기 때문에 계속해서 길을 찾아 나아가는 수밖에 없습니다.

사실 부모 세대는 어릴 때 정서 지능을 발달시키는 법을 잘 배우지 못했습니다. 어린 시절 부모님을 떠올려보세요. 일이 마음대로 풀리지 않거나 갈등이 생길 때면 배우자에게 혹은 아이에게 불같이 화를 내는 경우가 흔했습니다. 여전히 감정 표현에 서툴거나 혹은 자신의 감정을 제대로 다루지 못하는 어른들이 많습니다. 감정에 대해 배운 적이 없어 감정이 작동하는 회로를 모르니 설계에 손을 대기도 어렵지요. 그러면서 자신도 모르게 뜨거운 감정 온도를 아이에게 물려주고 있을 수도 있습니다. 아이의 감정 온도를 낮추고 서로를 이해하기 위해서는 부모의 감정 온도를 낮추는 게 먼저입니다.

세계적인 심리학자 다니엘 골먼Daniel Goleman은 "우리가 스스로의 감정에 더 솔직할수록 다른 사람의 감정도 더 잘 읽을 수 있다"고 말합니다. 일단 나의 감정을 제대로 직면해야 한다는 것입니다. 나의 감정이 어디서 왔는지, 어떤 모양을 하고 있는지, 나에게 무엇을 바라는지 살펴보아야 합니다. 특히 우리가 부정적으로 여겨 왔던 불안, 두려움, 분노, 열등감 같은 감정에 주목해야 합니다. 그 감정들이 한편으로 나를 지켜주었고, 나를 여기까지 성장시켰다는 걸 이해해야 하지요. 부정적인 감정들과 오해를 풀면 나의 감정 온도도 낮아지기 시작합니다. 그 감정들은 용기, 희망, 도전 같은 감정으로 변하여 나의 성장을 도와줍니다. 부모가 자신의 감정을 직시한 후에야 아이들에게 감정을 알아가고 발전시키며 조절하는 힘을 줄 수 있습니다. 부정적인 감정을 느끼는 상황에서 속절없이 끓어오르지 않은 채 그것을 구체적으로 들여다보고 받아들이며 오히려 내 삶을 위한 선물로 인지할 수 있게 됩니다.

아이를 위해 '감정'이라는 키워드를 눈에 담고 이 책을 펼치셨다면, 이미 큰 변화의 첫걸음을 내디딘 것이나 마찬가지입니다. 우리는 서로의 행복을 위해, 또 나 자신의 행복을 위해 서로의 감정 온도를 살필 필요가 있습니다. 이 책을 통해 감정을 제대로 이해하고 우리가 눌러왔던 불안, 두려움, 분노, 열등감이라는 감정이 나를 어떻게 지키고 성장시켜왔는지 배울 수 있길 바랍니다. 나아가 아이와 부모 모두 안전한 온도로 서로를 이해하고 사랑하는 계기가 되리라 믿습니다.

부모를 위한
감정의 온도

1부

Chapter 1

감정을 알아야
아이가 보인다

부모 역할은 감정 공부에서
시작된다

우리는 이성적으로 어떤 부모가 좋은 부모인지 알고 있습니다. 다른 아이와 비교하며 다그치지 않고, 아이가 원하는 선택을 존중해 주고, 말을 안 듣는다고 화를 내지 않는 부모겠죠. 그런데 그게 참 쉽지 않습니다. 아이가 집에서 내내 게임만 한다면, 처음에는 "이제 게임 그만해야지 않겠니?"라고 부드럽게 타이릅니다. 하지만, 대답은 "네"라고 하고서 계속 게임에 빠져 있는 아이에게 결국은 언성을 높이게 됩니다. 아이도 화가 난 채 방에 들어가 버리지요. 따뜻한 부모가 되고자 했던 처음의 다짐은 어디론가 사라지고, 또 다른 내 모습이 멋대로 튀어나옵니다. 분명 내 생각의 주인은 나인

부모를 위한 감정의 온도

데, 왜 나는 내 의지와 상관없는 행동을 하게 되는 걸까요?

감정은 늘 우리의 의지와 달리 제멋대로 움직입니다. '아이에게 다정하게 말해야지'라는 이성적인 다짐은 '도대체 왜 저렇게 말을 안 들어?'라는 울컥한 감정을 이기기 어렵지요. 아이에게 화를 낸 뒤에 찾아오는 우울함의 감정 스위치는 좀처럼 꺼지지 않고, 순간적인 '버럭'을 참지 못한 나 자신에게 실망하게 되는 일도 많습니다. 사실상 내 머릿속을 멋대로 휘두르는 주인 역할을 하는 건 생각이 아니라 바로 나의 감정입니다. 이렇게 제멋대로 스위치를 켜다가 끄는 감정을 다루기 위해서는 감정을 정확하게 알아야 합니다. 감정을 보듬고 들여다보아야 감정이 내 의지를 벗어나 제멋대로 부글부글 끓어오르지 않도록 조절할 수 있습니다.

그런데 문제는 우리가 그 어디에서도 감정에 대해서 제대로 배우지 못했다는 사실입니다. 우리에게는 '이성'과 '감정'이라는 두 개의 마음이 있습니다. 물론 현대의 뇌과학에서 이성과 감정을 칼로 베듯 구분하기는 매우 어렵지만, 보편적인 인식에 따라 나누어 살펴보겠습니다. 사전에서는 이성理性, rationality을 '사물을 옳게 판단하는 능력'이라고 정의합니다. 예를 들어 4인 모둠의 아이들이 피자 한 판을 합리적으로 나누어 먹으려면 네 등분을 해야 합니다. 이것을 분수로 표현하면 1/4입니다. 만약 한 명의 아이가 두 조각을 먹고 나머지 두 조각을 세 명이 나누어 먹는다면 이치에 맞지 않습니다. 이렇듯 사물을 이치에 맞게 판단하는 능력인 이성을 기를 수 있도록 교육과정과 교과서가 구성됩니다.

반면 감정은 학교에서 배울 기회가 별로 없습니다. 교과서에 제시된 감정은 주로 어떤 일이나 상황을 맞이하는 자세에 대하여 다루고 있습니다. 이것은 '태도'에 가깝습니다. 예를 들어 1학년 아이들이 우리 마을을 둘러보는 체험학습을 하기로 했다면, 마을을 돌면서 지켜야 할 자세를 배우게 됩니다. 줄을 맞추어 걷고, 작은 소리로 이야기하기로 선생님과 약속하는 것입니다. 반면에 감정은 기쁨, 분노, 슬픔, 즐거움 등이 마음속에서 생겨나는 상태입니다. 분노란 무엇이고, 분노가 일어났을 때 내 마음의 상태는 어떠하며, 이때 나는 어떻게 해야 하는지는 교과서 어디에서도 찾아볼 수 없습니다.

한편 우리는 어려서부터 기쁨, 감사와 같은 긍정적 감정은 키우되 슬픔이나 분노와 같은 부정적 감정은 억제해야 한다는 가르침을 듣고 자랐습니다. 슬픈 감정이 들 때는 눈물을 흘리는 것이 자연스러운 현상입니다. 하지만 우리 문화는 그렇지 못했습니다. 생각해보면 초등학교 시절에 가장 많이 들었던 말 중 하나가 '남자는 평생 세 번만 울어야 한다'입니다. '태어났을 때',

'부모님이 돌아가셨을 때', '나라가 망했을 때' 이렇게 딱 세 경우에만 울어야 한다는 것입니다. 행여 친구들과 놀다가 눈물을 보이기라도 하면 '못난이'라는 놀림을 받아야 했습니다. 솔직하고 적극적인 감정 표현이 못난 행동이라는 암시를 은연중에 받고 자랐습니다.

· · ·

이처럼 우리는 부정적 감정을 적극적으로 억제하는 문화에 살고 있습니다. 그중 대표적인 것이 '참을 인忍 자 셋이면 살인도 막을 수 있다'라는 속담입니다. 인忍 자를 살펴보면 칼날 인刃 아래에 마음 심心이 놓여 있습니다. 참으면 마음이 칼로 다치지 않는다는 뜻입니다. 실제로 분노라는 감정이 불같이 일어났을 때 참지 못하면 상황은 더욱 악화됩니다. 참고 기다렸다가 냉정하게 대응을 해야 문제가 해결됩니다. 특별히 요즘 사람들에게 인忍 자 셋이 가장 필요한 것도 분명히 맞습니다. 하지만 '화'와 같은 감정을 표현하고 해소하는 것도 중요합니다.

우리는 막연하게 화를 내면 나쁘다는 인식에만 익숙할 뿐, 화를 어떻게 내야 하는지는 모릅니다. 다들 아무리 화가 나도 그저 참고 또 참아야 한다고 말합니다. 그러다 보니 일명 '화병'에 걸리기도 합니다. '화병'은 전 세계적으로 우리나라 사람에게만 있다고 합니다. 미국 정신과협회에서 1996년 화병을 문화 관련 질병으로 정식 등록했다가 폐지하기도 했습니다. 화병의 주요 증상은 숨이 막힐 듯 가슴이 답답하고, 밖으로 뛰쳐나가고 싶고, 뜨거운 열기가 뱃속에서 치밀어 오르는 것입니다. 과거에는 중장년층이나 여성에게 많이 발병했으나 요즘에는 초등학생이나 중학생들 중에도 화병에 걸린 아이들이 있다는 보고가 여기저기서 들려옵니다.

이처럼 아이들에게 감정을 억압하는 문화를 그대로 물려주지 않으려면 부모가 감정에 대해 알아야 합니다. 부모가 해소하지 못한 채 품고 있는 부정적 감정들이 아이를 불안하게 만들고, 아이의 불안이 감정 온도를 높이기 때문입니다. 물론 불안하지 않은 부모는 없습니다. 무해한 환경 속에서 아이를 보호하고 싶고, 나의 시행착오를 아이는 겪지 않게 해주고 싶은 마음에 불안이 생깁니다. 하지만 그러다 보면 내 감정을 앞세우느라 나도 모르게 아이의 감정을 외면하게 될 때도 있습니다. 이처럼 일방적으로 부모의 불안과 긴장을 아이에게 투영하면 아이는 필요 이상의 무력감을 느끼게 됩니다. 결국 우울, 분노처럼 팽창된 부정적 감정을 부모로부터 고스란히 떠안게 될 수 있습니다.

부모를 위한 감정의 온도

그래서 부모의 감정 공부가 필요합니다. 부모가 자신의 감정을 먼저 들여다보고 내 마음대로 움직이지 않는 감정을 어떻게 다룰지 살펴봐야 합니다. 감정의 긴장을 낮추며 부모의 역할이 과연 무엇인지 냉정하게 돌아볼 필요가 있습니다. 부모와 아이가 모두 행복하게 상호작용하기 위해서는 이제껏 막연하게 여겨왔고 억누르기만 해온 '감정'을 건강하게 수면 위로 끄집어 올려야 합니다. 진화를 연구하는 학자들은 '감정이란 먼 인류의 조상들이 유전자를 통해 우리에게 물려준 생존 수단'이라고 말합니다. 감정은 우리의 생각과 행동의 출발점이며 방향입니다. 감정의 구체적인 얼굴을 마주 보는 것이 감정 온도를 낮추는 첫걸음입니다.

감정이 행동의 주인 노릇을
하는 이유

감정이 나의 기분과 행동을 통제하는 이유를 알기 위해서는 먼저
우리 몸속에 감정이 어떻게 설계되어 있는지 살펴봐야 합니다. 감
정을 연구할 때 단골로 나오는 주제 가운데 '아프리카 사바나'라는
용어가 있습니다. 이 용어는 진화 심리학자 고든 오리언스Gordon H.
Orians가 처음 사용했는데, 진화를 연구하는 학자들 중에 이 견해를
따르는 사람이 많습니다. '아프리카 사바나'에 따르면 인류가 지구
상에 출현한 지 700만 년 이상 되었는데, 최근 1만 년을 제외한 대
부분의 기간에 아프리카 사바나와 같은 자연환경에서 수렵 채집을
하며 살았다고 합니다. 그럼 1만 년 이전의 699만 년이 뜻하는 건
무엇일까요? 우리 뇌의 기본 배선이 699만 년에 맞추어져 있다는

뜻입니다. 699만 년 동안 아프리카 사바나에서 수렵 채집에 의지해 생존했던 조상의 뇌가 유전자를 통해 지금의 나에게 영향을 미치고 있다는 것이지요.

여기서 핵심은 조상들이 유전자의 형태로 우리에게 물려준 뇌의 '기본 배선'입니다. 각 가정에 설치된 전등의 기본 배선을 살펴보죠. 안방의 스위치를 켜면 안방의 전등에 불이 들어오고, 거실의 스위치를 켜면 거실의 전등에 불이 들어옵니다. 이와 마찬가지로 배가 고프면 우울해지면서 뭔가 먹고 싶어지는 것이 뇌의 기본 배선입니다. 배가 고픈데 기분이 좋아진다면 뇌에 이상이 있는 거겠죠. 화가 나면 손에 땀이 나고, 얼굴이 일그러지며, 심장이 빨리 뛰는 것도 조상들에게 물려받은 기본 배선 탓입니다. 좋은 일이 있으면 표정이 밝게 변하고, 기분이 좋아지는 것도 마찬가지입니다.

그러니 아무리 아이들에게 따뜻한 부모가 되려 애써보아도, 스마트폰 게임에 빠진 아이를 보면 화가 나는 것이 당연합니다. 아무렇게나 던져진 배우자의 양말을 보고 "기분 최고야"라고 말하는 사람은 없을 겁니다. 오랜만에 만난 친구가 자식 자랑을 늘어놓으면, 겉으론 고개를 끄덕여도 속에선 질투가 모락모락 피어오릅니다. 설령 옳은 얘기라 해도 충고는 듣기 싫고, 머릿속으로는 이해가 되는데 불편해지는 순간들이 있습니다. 이 모든 것이 사실 우리 조상들이 물려준 뇌의 기본 배선 때문입니다.

우리 뇌는 생각과 감정이 충돌했을 때 후자가 이기도록 설계되어 있습니다. 진화론자들은 인류가 살아온 699만 년은 감정에 기반을 두고 있고, 이후의 1만 년만이 이성이 관여한 기간이라고 설명합니다. 이에 의하면 인류의 뇌는 600만 년 이상 동안 동물과 비슷한 상태였습니다. 다르게 말하면 우리 조상들의 뇌 배선이 동물처럼 본능과 감정에 충실했다는 것이지요. 다만 최근 1만 년을 전후로 생각을 담당하는 뇌 피질이 급격히 발달했습니다. 생각은 오늘의 문명을 만든 주인입니다. 하지만 머나먼 조상의 유전자는 지금도 내 몸에 흐르고 있습니다. 그들은 감정에 관련된 유전자를 우리몸 깊숙이 심어두었습니다. 감정은 대학생이 되었는데, 이성은 아직 유치원생에 불과한 셈입니다. 둘이 싸우면 누가 이길까요?

태어난 지 얼마 되지 않은 이성은 21세기 환경에 맞춰져 있으나, 감정을 만들어내는 뇌 구조는 아프리카 사바나와 같은 환경에 맞게 설계되어 있습니다. 따라서 오늘날 사람들의 감정을 이해하기 위해서는 아프리카 사바나에서 살았던 사람들의 생활 모습을 고려해야 합니다.

잠시 학창 시절로 돌아가 교과서에서 보았던 구석기 또는 신석기 시대를 떠올려보겠습니다. 당시 사람들은 대부분 수렵 채집을 통해 식량을 마련했습니다. 대개 자연동굴이나 강가에 나무로 집을 지어 살았습니다. 여자들은 동굴 주변에서 식물의 열매와 버섯 등을 채집하였고, 남자들은 숲으로 사냥을 떠났습니다. 한곳에서 식량이 부족해지면 다른 곳으로 옮겨 다녔습니다. 동물 가죽, 나뭇잎 등을 이용하여 피부를 보호하였고, 불을 사용해 몸을 덥혔으며, 날것으로 먹던 음식을 익혀 먹기 시작했습니다. 이것이 우리가 배운 조상들의 생활 모습입니다.

이러한 조상들의 생활 모습을 살펴보면 감정의 바탕이 되는 키워드를 찾을 수 있겠지요. 바로 '생존'입니다. 즉, 부정적 감정이든 긍정적 감정이든 그 바탕은 생존이라는 것입니다. '불안'이라는 감정을 살펴볼까요? 우리 조상들이 겪었던 가장 큰 어려움은 굶주림이었습니다. 그 굶주림을 채집과 수렵 생활로 해결해야 했는데 주변에는 늘 많은 위험이 도사리고 있었습니다. 지금은 문명이 발달해 독이 있는 식물을 쉽게 구분할 수 있지만, 당시에는 채집해온 식물을 먹으면서도 혹시 독이 들어있지 않을까 걱정했을 겁니다. 또한 토끼나 사슴과 같은 순한 짐승을 사냥할 때도 맹수가 언제 나타날지 몰라 마음이 불안했을 것입니다. 조상 중에는 불안을 잘 느끼는 사람도 있었고, 그렇지 않은 사람도 있었을 것입니다. 생존 확률은 누가 높았을까요? 불안을 잘 느끼는 사람입니다. 그래야 위험으로부터 언제든 스스로 보호할 수 있었을 테니까요. 우리는 그렇게 생존한 조상들의 후손이기에 불안을 잘 느낄 수밖에 없습니다. 미세먼지가 자욱한 날이면 건강이 걱정되어 마스크를 착용하고, 아이의 성적이 떨어지면 아이의 미래가 걱정되어 마음이 불편해지는 게 당연한 반응입니다.

그럼 분노라는 감정은 어떻게 출현했을까요? 분노를 이해하기 위해서는 불안과의 차이점을 알아야 합니다. 불안은 어떤 대상으로 인하여 나에게 일어나는 걱정스러운 마음입니다. 반면에 분노는 어떤 대상에게 내 마음을 알려주고자 하는 감정입니다. 그 대상에게 나의 마음을 전하고 싶은데, 그게 잘 안 되면 불쾌한 감정이 솟아오릅니다. 그 감정이 상대에게 공격적으로 표출되는 것이 바로 분노입니다.

우리 조상들은 사냥 중에 맹수를 만나기도 했습니다. 처음에는 맹수들에게 나를 해치지 말아 달라고 신호를 보냈을 것입니다. 그럼에도 맹수가 달려든다면, 이땐 맹수를 물리칠 수 있는 공격성이 필요합니다. 그 공격성이 강한 사람은 살아남았지만, 약한 사람은 후손을 남기지 못했을 겁니다. 우리는 공격성이 강한 사람, 즉 분노를 잘 느꼈던 조상의 후손입니다. 아마 혼자서 맹수를 물리칠 수 없을 땐 여럿이서 힘을 모으기도 했을 것입니다. 그 와중에 동료 중 하나가 맹수로부터 해를 당했다면, 당연히 분노가 더 커졌을 테지요. 이 분노라는 감정이 복수로 이어지고, 복수라는 행동에 동반되는 '잔인함'으로 발전되기도 했을 것입니다.

불안이나 분노처럼 인간의 생존을 위해 발생한 감정을 '기본 감정'이라 합니다. 지금까지 심리학에서는 기쁨, 슬픔, 혐오, 놀람, 분노, 공포를 기본 감정으로 간주하였습니다. 그런데 최근의 연구에 의하면 기본 감정은 확대되는 경향이 있습니다. 버클리대 심리학 연구진들은 기본 감정이 27가지 이상이라고 2017년 미국 과학 아카데미 회보에서 새롭게 발표했습니다. 그들이 발견한 기본 감정은 감탄, 숭배, 심미적인 감상, 즐거움, 분노, 불안, 경외, 어색함, 지루함, 평온, 혼란, 경멸, 갈망, 실망, 혐오, 공감적 통증, 황홀, 부러움, 흥분, 공포, 죄책감, 기쁨, 향수, 자부심, 안도감, 낭만적 감정, 슬픔, 만족, 성적 욕망, 놀람, 연민 및 승리감 등입니다.

부모의 불안은 아이에게
고스란히 전해진다

아이들이 당신 말을 듣지 않는 것을 걱정하지 말고
그 아이들이 항상 당신을 보고 있음을 걱정하라 _로버트 풀검

EBS에서 〈엄마의 성장〉이라는 프로그램이 방영된 적이 있습니다. 그 프로그램에서는 엄마들을 대상으로 '나는 어떤 사람인가'에 대해 생각하게 한 뒤 fMRI기능적자기공명영상를 촬영했습니다. fMRI는 혈류와 관계된 변화를 감지하여 뇌 활성도를 측정하는 기술입니다. 우리의 뇌에서는 어떤 생각을 하게 되면 혈액이 한쪽으로 모여듭니다. 즉, '나를 생각할 때 뇌의 어느 쪽이 활성화되는가'를 살펴보는 실험이었습니다.

이어서 자식을 생각할 때 뇌의 활성도도 측정했습니다. 신기하게도 '나'에 대해 생각할 때와 '자식'에 대해 생각할 때 뇌가 활성

화되는 부위가 일치했습니다. 반면 남편을 생각할 때는 활성화 부위가 전혀 달랐습니다. 이 실험의 결론은 우리 뇌에서는 자식을 또 하나의 나로 인식한다는 것입니다. 우리의 무의식에서 아이의 삶은 곧 엄마의 삶이며, 아이는 엄마의 욕망을 대체하는 존재입니다. 아이는 엄마의 삶을 거꾸로 돌려서 다시 살고 있습니다. 이런 이유로 엄마는 아이를 통해서 대리만족을 느끼며, 기대와 욕심도 커질 수밖에 없습니다. 그런데 기대나 욕심은 필연적으로 불안이라는 감정을 불러옵니다. 엄마들이 불안한 과학적인 이유입니다.

자식을 향한 부모의 불안은 시대를 막론합니다. 구중궁궐에 사는 왕비도 자식이 아프진 않을까, 권력을 잃진 않을까 하는 불안에서 자유로울 수 없었습니다. 그래서 외척에게 권력을 나눠주며 세자를 보호하기도 했지요. 조선 시대에 외척의 비리가 그토록 들끓었던 이유도 엄마의 불안이 한몫했습니다.

요즘 부모들은 자식에 대한 불안이 한층 심해진 듯합니다. '모르는 게 약'이라는 속담이 있지요. 차라리 아무것도 모르면 마음이 편할 텐데, 정보가 많아진 만큼 걱정거리도 많아졌습니다. 과거에는 교육에 대한 정보를 얻는 경로가 한정적이었습니다. 주로 선생님이나 책의 도움을 받았지요. 하지만 요즘 부모들은 인터넷 맘 카페나 SNS 등에서 교육에 관련된 정보들을 얻습니다. 그런데 바로 여기에 문제가 있습니다.

SNS에 올라온 수많은 글을 읽으면서 부모는 그들과 자신을 비교하게 됩니다. '남들은 이렇게 성공적으로 자식 교육을 하고 있는데, 나는 잘하고 있는 걸까?'라는 생각이 듭니다. 다른 사람들의 성공기를 읽는 순간 불안, 두려움, 죄책감 같은 감정이 부모의 마음을 뒤덮어 버립니다. 아이를 남들처럼 키우지 못한 자신이 원망스럽고 아이에게 미안해집니다. 우리 아이의 이상 행동도 모두 나의 잘못으로 여겨집니다.

주변 상황은 부모의 불안 온도를 더 끌어올립니다. TV를 켜면 '청년 실업률 역대 최악'이라는 뉴스가 나와 온몸의 감각이 사라져 버립니다. 우리 아이가 재능을 발휘할 수 있는 분야를 생각해보아도 특별히 떠오르는 게 없어 벌써 아이의 앞날이 걱정됩니다. 같은 반 부모들과 모임이라도 가지면, 이번엔 한 엄마가 새로 생긴 영어 학원 이야기를 합니다. 원어민이 아주 친절하고 세심하게 가르쳐주어서 아이의 실력이 부쩍 향상되었다나요. 우리 아이도 보내야겠다는 생각이 들지만 당장 주머니 사정이 허락하지 않습니다.

이렇게 부모의 불안이 커지면 자연히 몸과 마음이 흥분합니다. 흥분한 상태에서는 냉정한 판단력을 잃게 되죠. 마치 홈쇼핑 방송을 보는 것과 비슷하다고 할까요? '매진 임박' 자막이 뜨면 갑자기 가슴이 뛰고, 어느새 휴대폰을 집어 들어 주문하게 되는 것처럼 말입니다.

불안 온도가 높아진 부모는 매사에 조급하고 걱정이 많아집니다. 사람은 불안으로 인해 마음이 불편해지면 불안을 줄이는 방법을 찾습니다. 이때 흔히 다른 사람을 따라 하는 행동이 나타납니다. 같은 반 학부모에게 전화를 걸어 아이들을 잘 가르친다던 영어 학원 이름을 물어보거나, 이웃집 아이가 다니는 태권도장에 아이를 보내야만 마음이 조금 편해집니다. 다른 아이가 학원을 세 군데 다니면, 내 아이는 네 군데를 다녀야 합니다. 불안한 부모는 아이를 끊임없이 다그치지만, 무작정 책상 앞에 오래 앉아 있다고 해서 결과가 반드시 좋아지진 않는다는 걸 부모 자신도 잘 알고 있습니다. 오히려 아이가 반항을 하거나 공부에서 관심이 멀어지는 탓에 걱정만 느는 경우가 많지요.

이는 부모의 불안이 아이에게 고스란히 전달되기 때문입니다. 우리 뇌에는 '뇌 속의 거울'이라고 할 수 있는 '거울 뉴런Mirror Neuron'이 있습니다. 아이의 뇌 속에 있는 거울 뉴런은 부모의 행동을 똑같이 재현합니다. 아이도 부모를 따라서 불안 온도가 높아지기 시작하는 것이지요. 걱정이 많아지고 사소한 일까지 부모에게 물어봅니다. 무엇을 하건 꾸중을 들을까 봐 두려워하고, 실패할 것 같은 어려운 일은 아예 도전하지 않는 수동적이고 소극적인 아이로 변합니다. 부모 중 한쪽이 배우자의 불안 정도가 높다고 비난하기 시작하면 문제는 더 커집니다. 언쟁과 다툼이 늘고, 가족 전체의 불안 온도가 높아지는 악순환에 빠집니다. 결국 불안과 긴장도가 높은 부모는 나도 모르게 아이의 감정 온도를 높이고 있을 가능성이 큽니다.

부모가 모르는
아이의 불안

교육의 목적은 기계를 만드는 것이 아니라 인간을 만드는 데 있다 _장 자크 루소

미국의 심리학자 매슬로Abraham H. Maslow는 인간의 욕구를 5단계
로 나누어 설명합니다. 욕구 단계의 맨 아래 단계에는 생리적 욕구
가 자리 잡고 있습니다. 그 위에 안전의 욕구, 소속감과 애정의 욕
구, 존경의 욕구, 자아실현의 욕구가 피라미드 형태로 존재합니다.
매슬로는 이 욕구가 중요도에 따라 단계를 이루어 구성된다고 보
았습니다. 생리적 욕구가 가장 중요하며, 그 욕구가 채워지면 다음
단계의 욕구가 나타난다는 것입니다.

　생리적 욕구는 인간의 가장 본질적인 욕구입니다. 생존과 생식
을 위한 배고픔, 갈증, 주거, 성적 욕구 등을 포함하지요. 이 단계의

매슬로의 인간 욕구 5단계

욕구가 충족되지 않으면 기본적으로 인간으로서 정상적인 삶을 꾸려나가기 어렵습니다. 하지만 현대 사회를 살아가고 있는 요즘의 우리 아이들은 생리적 욕구가 이미 대부분 충족된 상태입니다. 배고픔을 걱정하기보다 오히려 너무 잘 먹어서 비만인 아이들에게 나타나는 소아 성인병이 더 문제가 되고 있지요.

위의 욕구 피라미드를 보면 생리적 욕구 다음으로 안전의 욕구가 중요합니다. 요즘 아이들의 감정 온도가 올라가는 이유를 알기위해선 바로 이 단계를 주목해야 합니다. '안전'이 문제라니, 의아하게 들릴지 모르지만 분명한 사실입니다. 이 점을 이해하기 위해서는 원시시대 아이들과 오늘날 아이들의 생활 모습을 비교해보아야 합니다.

부모를 위한 감정의 온도

수백만 년 전 아이들의 생활 모습을 상상해보죠. 그 당시 아이들은 가족과 함께 동굴 속에서 살았습니다. 인류학자들은 그 규모를 10여 명 정도로 파악하고 있습니다. 아이들은 아침이 되면 어제 먹다 남은 고기를 먹고, 동굴 근처의 들판이나 냇가에 가 놀았습니다. 간식으로 나무 열매를 따 먹었고, 심심하면 친구들과 숨바꼭질을 했죠. 아버지가 가끔 사냥에 데리고 가서 맹수가 나타나는 장소나 사냥하는 방법을 가르쳐주기도 했을 겁니다. 어머니는 동굴 근처에서 과일이나 버섯을 따면서, 독이 있는 식물을 가려내는 법을 가르쳐주었을 거고요. 때로는 이웃 부족이나 맹수로부터 습격을 받는 날도 있었습니다.

오늘날 아이들의 생활 모습은 어떠한가요? 아침에 눈을 뜨면 서둘러 아침밥을 먹고 집을 나섭니다. 아파트 정문에는 신호등이 있습니다. 녹색불이 켜져도 자동차가 오지 않는지 살피며 건너가야 합니다. 학교에 도착하면 스마트폰을 꺼냅니다. 학교에 무사히 도착했다고 문자 메시지로 엄마에게 알립니다. 점심시간이나 쉬는 시간에 뛰어놀고 싶지만 마땅한 장소가 없습니다. 운동장은 6학년 아이들 차지이고, 강당은 5학년이 차지했습니다. 학교 수업을 마치면 학원 수업이 기다리고 있습니다. 학교보다 학원이 아이들을 더 힘들게 합니다. 숙제도 더 많지요. 서너 군데 학원 수업을 마치면 어느새 저녁 7시가 됩니다. 저녁식사는 부모님과 함께 하거나, 혼자서 음식을 사 먹기도 합니다. 저녁을 먹고 나면 숙제를 해야 합니다. 틈틈이 스마트폰을 꺼내 게임을 합니다. 나의 마음을 달래주는 유일한 도구입니다.

과연 수백만 년 전 아이들과 비교해봤을 때 오늘날의 아이들이 더 안전하다고 할 수 있을까요? 사실 얼마 전까지만 해도 아이들의 생활 패턴은 수백만 년 전과 크게 다르지 않았습니다. 제가 교직 생활을 시작했던 1990년까지만 해도 학교 수업이 끝나고 학원을 전전하는 건 대도시의 일부 학생들 이야기였습니다. 대부분은 수업이 끝난 뒤 학교 운동장이나 동네 놀이터에서 시간을 보냈지요. 저녁 먹으라는 엄마의 외침이 들리면 그제야 집에 들어갔으며, 온 가족이 둘러앉아 저녁을 먹었습니다. 놀다가 지쳐서 잠이 들어도 엄마에게 꾸중을 듣지 않았습니다. 주말에는 뒷산과 냇가가 아이들의 쉼터이자 학습 공간이었습니다. 그 당시만 해도 '일직'이라는 제도가 있었습니다. 교사들이 돌아가면서 일요일에 학교를 지키는 것입니다. 제 차례가 되면 우리 반 아이들을 학교로 불러 모으곤 했습니다. 편을 갈라 종일 축구를 하고, 배가 고파지면 라면을 끓여 먹었지요.

부모를 위한 감정의 온도

우리의 유전자에는 인류가 수백만 년에 걸쳐 환경에 적응하면서 쌓아온 인류의 기억이 담겨 있습니다. 다시 말해, 뇌의 주요 부분에는 환경에 적응하면서 발달한 유전 형질이 들어있다는 뜻입니다. 예를 들어 사나운 짐승을 만나면 싸우거나 도망가야 한다는 걸 우리는 원시시대부터 경험으로 배워왔습니다. 그런 유전 형질이 지금도 우리 뇌에 남아있어서 숲속을 걸어가다 보면 무언가 바스락거리는 소리에도 예민해집니다.

학자들에 따르면, 지구상에서 인류와 가장 비슷했던 유인원으로부터 지금의 인류가 분화되기 시작한 건 약 600~700만 년 전입니다. 문자와 도시 문명이 출현한 것은 겨우 5천여 년 전입니다. 특히 오늘날과 같은 문명을 갖춘 사회가 출현한 지는 얼마 되지 않았지요. 그렇다면 아이들의 유전자에 기록되어 있는 본성과 생활 습관은 무엇에 더 가까울까요. 현대의 문명사회를 살아가고 있지만, 유전자에 담긴 기억은 아마 문명이 발달하기 전 조상들의 생활 모습과 훨씬 더 비슷할 것입니다.

그래서 아이들의 유전자는 사실 이렇게 말하고 있는지도 모릅니다. "동굴에서 살고 싶어요!", "들판에서 놀고 싶어요!", "냇가에서 고기 잡고 싶어요!" 하지만 지금의 생활환경은 유전자의 희망과는 너무나 다르게 변했습니다. 동굴이 아니라 아파트에서 살고 있으며, 들판과 냇가는 학교와 학원으로 바뀌었습니다.

유전자에 기록된 것과 비슷한 환경에서는 사람의 감정이 편안해집니다. 실제로 아이들은 학교 도서관에서도 유독 동굴을 닮은 원형 공간을 서로 차지하려고 난리입니다. 반면 익숙하지 않은 환경에서는 유전자가 스트레스를 받으며 몸과 마음이 모두 긴장합니다. 현대 사회를 사는 아이들의 생활 모습은 유전자에 기록된 것과 큰 차이가 벌어져 있습니다. 유전자는 들판과 냇가에서 놀기를 원하지만, 어른들은 집안에서 공부만 하라고 합니다. 학교 가는 길에 자동차 사고가 일어나고, 수학여행 가던 아이들은 세월호 참사를 당했습니다. 뉴스에서는 코로나19가 사람들의 생명을 위협한다고 합니다. 아이들의 유전자는 불안과 두려움에 떨고 있습니다. 그 불안과 두려움이 아이들을 긴장하게 합니다.

아이들이 집에서 느끼는 감정,
부모는 알고 있을까?

자녀가 당신에게 요구하는 건 대부분 자기를 있는 그대로 사랑해달라는 것이지,
온 시간을 다 바쳐서 자기들의 잘잘못을 가려달라는 게 아니다 _빌 에어즈

아이들이 실제로 집에서 어떤 감정을 느끼는지 간단한 조사를 해 봤습니다. 2, 4, 6학년 학생들을 대상으로 '기쁜', '우울한', '즐거운', '괴로운' 등 12개의 감정 단어를 제시한 뒤 집에서 주로 느끼는 감정 세 가지를 선택하게 했습니다. 아이들의 감정 상태를 좀 더 진실하게 엿보기 위해서 익명으로 실시 했으며, 10초 이내에 감정 단어를 선택하게 했습니다.

2학년 아이들은 17명 중 8명이 집에서 '즐거운', '기쁜', '만족한', '편안한' 등의 감정을 느낀다고 답했습니다. 두 가지 이상의 불쾌한 감정을 느낀다고 응답한 학생은 2명밖에 되지 않았습니다. 하

지만 4학년 아이들은 20명 중에서 19명이 한 가지 정도의 불쾌한 감정을 느낀다고 답했으며, 종일 불쾌한 감정이 나타난다고 대답한 아이도 3명이나 되었습니다. 6학년 학생들도 이와 비슷했습니다. 아이들이 집에서 느끼는 감정 상태를 살펴보면 저학년에서 고학년으로 올라갈수록 부정적 감정이 많이 나타나고 있었습니다. 저학년에서는 '기쁜', '즐거운', '행복한' 등의 긍정적인 감정 단어를 많이 사용하지만, 고학년으로 올라갈수록 '피곤한', '괴로운', '우울한' 같은 부정적인 감정 단어를 많이 사용합니다.

조사 내용을 분석한 결과, 부정적 감정이 자주 나타나는 이유는 공부에 대한 스트레스나 가정의 경제적 수준보다 부모의 양육 태도와 관련이 많았습니다. 고학년으로 올라갈수록 성적에 대한 부모의 높은 기대, 잔소리, 대화 단절 등이 심해져 아이들을 화나고 피곤하게 만들었습니다.

사실 당시에 아이들의 감정 온도 상승의 원인이 공부 스트레스보다 부모의 말과 행동에 있다는 조사 결과는 다소 뜻밖이었습니다. 교사들로서는 당연히 공부가 아이들을 심리적으로 가장 힘들게 한다고 생각했기 때문입니다. 아이들의 마음이 궁금해서 계속 질문을 던졌습니다. "부모님이 하는 말 중에서 가장 널 힘들게 하는 말은 어떤 거니?"라고 물어보았습니다. 아이들이 가장 듣기 싫어하는 말 1위는 바로 '했어, 안 했어?'였습니다.

여기서 '했어'라는 말 앞에는 숙제, 공부, 일기, 청소, 목욕 등 수많은 단어가 올 수 있습니다. 부모의 '했어, 안 했어?'라는 질문이 아이들을 힘들게 하는 이유는 무엇일까요? '예'와 '아니요' 중 어떤 답변을 선택하느냐에 따라 부모님의 반응이 너무도 명백하게 달라지기 때문입니다. '예'라고 하면 칭찬을 받겠지만 그렇지 않으면 꾸중을 듣습니다. '아니요'라고 했을 때 왜 안 했는지, 혹은 왜 못 했는지에 대해서는 부모가 관심이 없다는 겁니다.

아이들이 지치고 피곤해하는 이유가 공부 그 자체가 아니라 다른 이유라면, 우리 어른들은 어떻게 아이들을 도울 수 있을까요? 간단합니다. 아이가 듣기 싫어하는 말을 안 하면 됩니다. 이것은 단순하지만 사실은 매우 복잡한 문제입니다. 아이와 소통을 잘하기 위해 누구보다 열심히 학부모 연수에 참여하고, 자녀교육에 대한 책을 읽는 부모들에게조차도 이것만은 쉽게 고쳐지지 않는 습관이니까요.

학교에서 돌아온 아이가 어쩐 일인지 화가 단단히 나 있다고 가정해봅시다. 어디선가 배운 대로 "화가 많이 났구나" 하고 아이에게 공감을 해보려고 하지만, 대화하다 보면 어느새 부모 자신마저도 화가 나고 맙니다. 왜 그렇게 되는 걸까요? 사실은 우리가 감정의 정체를 제대로 알지 못하기 때문입니다. 평소 아이들과 감정에 대한 이야기를 나눈 경험이 적기 때문이기도 합니다. 감정의 결과에 집중하기보다는 아이들이 집에서 주로 어떤 감정을 느끼는지 관심을 가지고 알아주려는 노력부터 시작해야 합니다.

감정 온도가 높은
아이들의 행동

자신을 그 누구와도 비교하지 말라. 자신을 모욕하는 행동이다 _빌 게이츠

제가 근무했던 학교에는 '건우'라는 아이가 있었습니다. 그때 건우는 2학년이었는데, 작은 체구에 눈이 큰 아이였습니다. 책을 무척 좋아해서 친구들이 책벌레라는 별명도 붙여주었습니다. 특히 과학책을 읽을 때면 선생님이 불러도 모를 때가 많았습니다. 누구든 이 아이를 처음 본다면 밝고 예쁜 모습에 미소 짓게 될 겁니다. 하지만 옆에서 조금 더 지켜보고 있자면, 이해하기 어려운 상황이 벌어질 때가 있습니다. 교실이나 복도에서 아이들과 어깨가 닿기라도 하면 이내 싸움이 벌어지는 것입니다.

하루는 아이들의 고함 소리에 놀라 교실로 뛰어갔습니다. 건우

가 빗자루를 들고 아이들을 쫓고 있고, 아이들은 이리저리 도망 다니느라 교실이 온통 아수라장이었습니다. 교직 생활을 하면서 처음 본 이상한 풍경이었습니다. 그 반 담임선생님은 어찌할 줄 몰라 교실 앞에서 멍하니 서 있었습니다. 제가 아이를 제지하려고 했지만 막무가내였습니다. 빗자루로 몇 대 얻어맞고서야 아이의 행동을 멈추게 할 수 있었습니다. 아이를 꼭 안았습니다. 한참 동안 안고 있었더니 거칠었던 숨소리가 잠잠해졌습니다.

비로소 진정을 찾은 아이에게 물었습니다. "화난 이유를 알려줄 수 있을까?" 제 물음에 건우는 아직도 화가 덜 풀렸는지 씩씩거리며 아무 말도 하지 않았습니다. 이럴 때는 기다림이 최선책이라는 것을 그간의 경험으로 알고 있었기에 명상 음악을 틀어놓고 말없이 한참을 기다렸습니다. 화가 풀리는지 아이의 얼굴에서 긴장의 빛이 조금씩 사라지기 시작했습니다. 이제 건우와 이야기할 차례입니다. 한참 동안 건우의 손을 잡아주었습니다. 건우는 친구들과 사이좋게 지내고 싶은데, 친구들이 자기를 싫어한다고 말했습니다. 화를 내고 싶지는 않은데, 친구들이 조금만 잘못을 해도 갑자기 화가 폭발한다는 겁니다.

비슷한 다른 사례도 있습니다. 얼마 전 후배 교사와 상담을 하게 되었습니다. 그 선생님은 저를 보자마자 한숨을 푹 쉬었습니다.

부모를 위한 감정의 온도

자신의 반에 전혀 이해할 수 없고, 도움을 주기도 어려운 '희수'라는 아이가 있다는 겁니다. 희수에게는 두 가지 문제가 있는데, 우선 자신감이 너무 부족했습니다. 과제를 내주면 친구의 것을 보고 똑같이 따라 했습니다. 미술 시간에는 옆 짝꿍이 그리는 대로 따라 그리고, 수학 익힘책 풀기를 할 때도 친구의 답을 보고 적기를 반복합니다. 사실 학창 시절에는 누구나 이런 경험이 있기 마련이기에 언뜻 큰 문제가 아닌 것처럼 보입니다. 하지만 이런 행동이 지속되자, 선생님이 희수에게 자기 힘으로 과제를 해결해보라고 권유했습니다. 그런데 희수의 대답이 뜻밖이었습니다. "선생님, 떨려서 제 생각을 적을 수가 없어요." 희수의 마음에는 '틀리면 어쩌지'라는 불안이 크게 자리 잡고 있었습니다. 그러고 보니 지난 1년 동안 희수가 수업이나 놀이에서 유난히 긴장하던 모습이 떠올랐다고 합니다.

희수의 또 다른 문제는 도벽이었습니다. 학급에서 돈과 물건이 자주 없어졌는데, 그게 희수의 책상 속에서 발견되었던 겁니다. 희수는 그동안 친구와 선생님의 돈이나 물건을 여러 번 훔쳤다고 털어놓았습니다. 이 문제로 희수 어머니와 상담을 했습니다. 근심 가득한 얼굴로 희수의 이야기를 듣던 희수 어머니의 눈에서 눈물이 흐르기 시작했습니다. "이미 알고 있어요. 집에서도 가끔 돈을 훔

쳐요." 아빠의 지갑에 1년 가까이 손을 대고 있다는 사실도 얼마 전에 알았다고 합니다. 특이한 점은 지켜보는 사람이 있을 때도 이러한 행동을 한다는 것입니다. 그동안 많은 아이들을 겪어보았지만 이런 일은 처음이었습니다. "이 아이의 마음속에 무엇이 들어 있는 걸까요?" 그 후배 교사의 고민에 저는 아무런 답을 해줄 수가 없었습니다.

· · ·

건우가 교실에서 빗자루를 들고 난장판을 벌인 이유는 무엇일까요? 누군가 보고 있어도 희수가 물건을 훔치는 이유는 뭘까요? 이는 건우와 희수가 평소 불쾌감 영역의 감정 온도가 높은 아이들이기 때문입니다. 다시 말해서 이 아이들은 불쾌감의 영역에 있는 감정이 다른 친구들보다 민감하게 반응합니다. 같은 상황에서 다른 아이들 대부분이 실망이라는 감정으로 표현한다면, 감정 온도가 높은 아이는 분노라는 감정으로 표현합니다.

예를 들어 '2A×3'이라는 식이 있다고 가정하면, A에 따라 답이 달라집니다. 만약 A가 2이면 답은 12이고, A가 3이면 답은 18이겠지요. A를 감정 온도, 3을 사건이 벌어질 수 있는 상황이라고 가정

부모를 위한 감정의 온도

한다면 같은 상황이라도 A의 값에 따라 반응이 크게 달라집니다. 어떤 사람이 사소한 일에도 크게 화를 내는 이유는 A의 값이 크기 때문입니다.

안타깝게도 전반적으로 초등학교 학생들의 감정 온도가 점점 높아지고 있습니다. 선생님들의 이야기를 들어보면 어느 학급에나 건우나 희수 같은 아이들이 두세 명씩은 있다고 합니다. 창문으로 뛰어내리겠다는 아이, 손목을 칼로 자해하는 아이 등은 불쾌감의 감정 온도가 극단적으로 높아진 사례입니다. 하지만 특별한 몇몇 아이들만의 문제는 아닙니다. 경력이 10년 이상 된 선생님들에게 5년 전과 비교했을 때 아이들이 가장 달라진 점을 묻자, 상당수가 '괴성'이라고 대답했습니다. 인간의 소리라고 할 수 없을 만큼 이상한 소리를 지르는 아이들이 늘고 있답니다. 저 역시 최근 의문을 가지고 있는 부분입니다. 싸울 때는 그렇다 치더라도, 평소에도 괴성을 지르며 뒹구는 아이들을 볼 수 있습니다. 비명이라고 할 수도 없고, 단순히 음량만 큰 것은 더더욱 아닌 그 소리는, 굳이 설명하자면 무더운 여름날 더위에 지쳐서 지르는 고함과 비슷합니다. 분명 일상적으로 쉽게 들을 수 있는 소리는 아니지요. 이 모두 불쾌감 영역의 감정 온도가 오르면서 생기는 문제들입니다.

감정은 익숙한 것을
좋아한다

최고의 가르침은 아이에게 웃는 법을 가르치는 것이다 _프리드리히 니체

건우에 관한 얘기를 계속 해보겠습니다. 건우는 사실 초등학교 1학년 때부터 친구들과 싸움이 잦아 선생님들의 기피 1순위 아이였습니다. 같은 반 학부모들로부터 민원이 들어올 때도 많았습니다. 평소에는 책을 좋아하고 유쾌한 아이인데, 작은 자극이나 갈등에도 곧 혼란한 상황을 일으키는 게 문제였습니다. 누군가 살짝 건드리기만 해도 교실은 전쟁터로 변해버립니다.

건우의 '분노'는 어디에서 시작된 걸까요? 그 시발점은 결국 '아프리카 사바나'입니다. 아프리카 사바나에서 생존 전략이었던 분노라는 감정은 우리 모두의 유전자에 기록되어 있습니다. 다만 자

부모를 위한 감정의 온도

주 분노하는 뇌의 유전자를 물려받은 사람도 있고, 그 반대인 사람도 있습니다. 자주 분노하는 뇌 유전자를 물려받았다면 분노에 취약할 가능성이 크지만, 건우가 그런 경우인지 현대 과학으로는 알수 없습니다. 하지만 가족의 모습을 살펴보면 건우가 분노에 취약한 유전자를 물려받았는지 대강 확인할 수 있습니다. 가족 중에 우울증 병력을 지닌 사람이 있다면 자신도 우울증에 걸릴 확률이 높아집니다. 따라서 분노 조절에 취약한 부모의 아이들 역시 분노 조절에 어려움을 겪을 확률이 높습니다.

교문에서 아이들을 지켜보면 대강 평소에 어떤 감정 상태인지 알 수 있습니다. 유독 기쁜 감정을 잘 느끼는 아이들은 얼굴에서 미소가 떠나지 않습니다. 친구나 선생님의 작은 칭찬에도 환하게 웃으며 응답하지요. 이 아이의 주변을 잘 들여다보면 기쁨을 잘 표현하는 가족이 꼭 있습니다. 부모님을 만나보면 역시 늘 웃는 얼굴인 경우가 많습니다. 반면 주로 우울한 얼굴을 하고 있고, 주위 사람들이 다정하게 말을 건네도 무덤덤한 아이들이 있습니다. 슬픔이라는 감정에 민감한 아이들입니다. 이런 아이들의 부모님 역시 대개 표정이 어둡습니다. 아이들은 부모의 표정을 닮는가 봅니다.

건우와 상담을 해봤습니다. 건우는 자신의 욱하는 감정 때문에 친구들과 선생님이 힘들어한다는 걸 누구보다 잘 알고 있었습니다. 자꾸 화를 내는 자신이 밉고, 친구들에게도 미안하다고 했습니다. 왜 건우는 자주 화를 내는 걸까요? 누구나 가지고 있는 감정 중에서 '화'라는 감정이 건우에게 무척 자연스럽고 익숙하기 때문입니다.

심리학자들은 이러한 감정을 '핵심 감정'이라고 부릅니다. 건우의 핵심 감정이 '화'가 된 이유는 무엇일까요? 이 질문에 답하기 위해서는 뇌가 작동하는 기본 원리를 알아야 합니다. 누구에게나 있는 1.4kg의 뇌는 무엇이 좋고 나쁜지 이성적으로 판단하는 능력이 없습니다. 단지 여러 번 반복되는 것은 생존에 유리한 것, 그렇지 않은 것은 덜 중요한 것으로 받아들일 뿐입니다.

우리에게 유전자를 물려준 원시 수렵 채집 사회에서 살던 인간에게, 반복되는 일은 생존의 확률을 높였고, 새로운 일은 곧 죽음을 의미했습니다. 밀림에서 계속 따먹던 과일은 생존 확률을 높이지만, 새로운 과일은 독이 들어있어 죽음을 맞이 할 수도 있었습니다.

우리의 뇌는 조상들이 물려준 뇌 유전자로 인해 감정, 학습, 운동 등 모든 영역에서 반복되는 것만 기억합니다. 만약 건우가 "너는 왜 그 모양이니?", "바보 같은 녀석"이라는 말을 반복해서 들었다면 뇌는 어떻게 받아들일까요? '바보 같은 녀석'이란 소리를 들을 때마다 '화'라는 감정도 반복해서 생깁니다. '화'라는 감정이 반

부모를 위한 감정의 온도

복되면 '화'는 건우의 생존에 중요한 핵심 감정이 됩니다. 그러면 건우의 무의식은 늘 부정적인 상황, 즉 화를 더 자주 낼 수 있는 상황을 찾아다닙니다. 그래서 친구의 좋은 말이나 선생님의 따뜻한 미소보다 갈등 상황에 집중하게 됩니다. 마치 하이에나가 눈앞의 사슴을 보지 못하고 다른 동물들이 먹다 버린 고기를 찾아 어슬렁거리는 모습과 같습니다.

운동장에서 쓰레기를 줍고 있으면 가까이 다가와 "감사합니다" 하고 인사하며 고사리 같은 손으로 같이 줍는 아이들이 있습니다. 연말이면 꼬박꼬박 한 해 동안 감사했다는 카드를 써서 가져오는 아이들도 있습니다. '감사'를 핵심 감정으로 지닌 아이들은 늘 주변에서 감사할 만한 일을 찾아 두리번거립니다.

이처럼 내 감정의 설계도를 살펴보면 부모님, 더 거슬러 올라가 우리 조상들이 물려준 유전자가 기본 배선으로 설계되어 있는 것을 알 수 있습니다. 하지만 그 설계도를 바탕으로 누가 어떻게 집을 짓느냐에 따라 결과는 달라지기 마련입니다. 분노에 취약하도록 설계되어 태어났더라도 '감사'라는 감정에 익숙해지면 '감사'가 그 사람의 핵심 감정이 됩니다. 반대로 '기쁨'을 잘 표현하도록 설계되어 태어났지만 '화'라는 감정에 익숙해지면 '화'가 그 사람의 핵심 감정이 됩니다.

자율신경을 파괴하는
감정 온도

우리 몸은 감정의 온도에 어떻게 반응할까요? 신체에서 감정 온도
를 조절하는 방법과 감정 온도에 영향을 미치는 신체 부위를 살펴
보면 감정이 어떤 작용을 하는지 조금 더 잘 이해할 수 있습니다.

저는 주말이면 집 주변의 예쁜 호수에서 반려견 솜이와 산책을
합니다. 산책로를 걷다 보면 사람들의 다양한 반응을 관찰할 수 있
습니다. 개를 좋아하는 사람들은 솜이가 꼬리를 흔들며 다가서면
잠시 발걸음을 멈추고 손을 내밀어 친근감을 표시합니다. 반면 솜
이가 다가서면 흠칫 놀라며 동공이 커지는 사람들도 있습니다. 물
론 솜이를 보고 놀라는 분들의 기분을 이해합니다. 저도 가끔 다른
개 때문에 심장이 쿵쾅거릴 때가 있으니까요. 송아지만큼 거대한

개가 눈앞에 나타나면 저도 모르게 손에 땀이 나며 솜이를 꼭 안아 들게 됩니다. 언제든 냉큼 도망갈 준비를 하는 겁니다. 보호자가 목줄을 잡고 있어 안전하다는 걸 아는데도, 심장이 쿵쾅대는 건 어쩔 수 없습니다.

길에서 대형견을 만났을 때 저에게 나타나는 신체 반응은 감정 온도가 높아지는 과정입니다. 먼저 입이 마르고 동공이 커집니다. 심장이 두근거리며, 근육에 힘이 들어가고 손에서 땀이 나지요. 이런 신체 반응이 나타나는 건 우리 몸의 자율신경 때문입니다. 자율신경은 우리 의사와 상관없이 상황에 따라 독립적으로 작용하여 신체를 긴장시키거나 이완시킵니다. 자율신경을 한마디로 요약하면 우리 몸속의 '관제탑'입니다. 마치 관제탑이 비행기의 이착륙을 지시하듯이 자율신경이 우리 몸속 장기(눈, 침샘, 폐, 심장, 위, 췌장, 간, 신장, 소장 등)와 기관(뼈와 근육, 소화 기관, 순환 기관, 호흡 기관, 배설 기관 등)을 조절합니다.

자율신경은 우리 뇌의 아래쪽에 있는 뇌간에서 시작하여 시상하부, 척수를 따라 우리 몸 모든 곳에 퍼져 있습니다. 자율신경은 크게 두 가지로 나눌 수 있는데, 하나는 교감신경계이고, 다른 하나는 부교감신경계입니다.

교감신경계는 자동차 구조로 설명하면 엑셀레이터라고 볼 수 있습니다. 엑셀레이터를 밟으면 자동차의 속도가 올라가지요. 자동차 속도가 올라가면 계기판의 'RPM$^{revolution\ per\ minute}$'도 올라갑니다. RPM은 1분당 엔진의 회전수를 뜻합니다. 계기판을 보면 0에서부터 9까지의 숫자가 표시되어 있습니다. 1은 1분당 엔진이 1,000바퀴 회전한다는 의미입니다. RPM이 높아지는 것은 곧 엔진의 회전수가 많아진다는 뜻이고, 회전수가 많아진다는 것은 그만큼 자동차의 속도가 빨라진다는 뜻입니다.

이와 마찬가지로 놀라거나 위험한 상황에 놓이면 우리 몸의 교감신경계가 작용하기 시작합니다. 우리 몸의 각 조직에 저장된 포도당과 산소를 분해하여 신체가 위험에 빠르게 대처할 수 있도록 만들어주지요. 제가 호수 주변을 산책하다가 큰 개를 만났을 때, 동공이 커지고 심장 박동이 빨라졌던 이유입니다. 반면 큰 개와 아무런 사고도 일어나지 않으면, 두근거렸던 마음이 어느새 편안해집니다. 심장 박동도 안정을 찾고, 바싹 말랐던 입에 침이 분비됩니다. 길가의 커피숍에서 아이스크림과 따뜻한 커피가 섞인 아포가토가 먹고 싶어집니다. 이는 부교감신경계가 작용하였기 때문입니다. 부교감신경계는 우리 몸에서 브레이크 작용을 합니다.

'신경계'라는 용어가 어렵게 느껴질 수도 있지만, 오감을 통해 자극을 받아들인 뒤 그에 대한 반응을 전달하는 신체의 '도로'라고 이해하면 쉽습니다. 서울에서 부산으로 가기 위해서는 경부고속도로를 이용합니다. 마찬가지로 신경계도 어떤 경로가 있습니다. 오감으로 들어온 자극은 뇌로 전달되고, 뇌의 판단과 명령에 따라 신체가 반응합니다.

산책길의 '솜이'라는 자극이 사람들의 뇌에 전달되기 위해서도 일종의 도로를 통과하게 됩니다. 바로 '시신경optic system'이라는 도로입니다. 솜이의 모습은 전기신호가 되어 시신경을 따라 전두엽으로 전달됩니다. 전두엽에서는 '솜이'라는 정보를 받아들인 뒤 어떤 판단을 하게 됩니다. 판단의 기준은 대부분 과거의 경험입니다. 강아지에 대한 좋은 추억이 있는 사람의 전두엽은 솜이를 보고 미소를 지으라고 명령할 것이고, 강아지에게 물린 경험이 있는 사람의 전두엽에서는 피하라는 명령을 내릴 것입니다.

전두엽의 명령은 중추신경계를 따라 우리 몸의 각 기관에 전달됩니다. 뇌에서부터 척수까지의 도로를 중추신경계라고 하는데, 우리 몸을 한반도에 비유하면 중추신경계는 경부고속도로인 셈입니다. 강아지를 좋아하는 사람의 전두엽이 명령을 내렸다면 얼굴 근육은 미소를 짓는 모양으로 움직이고, 눈이 수축하며, 심장 박동은 느려지게 됩니다.

중추신경계에서 우리 몸의 각 기관으로 이어진 작은 도로가 말초신경계입니다. 경부고속도로를 지나다가 작은 도시들로 들어가기 위해서는 IC$^{Inter Change}$를 거쳐야 하지요. 말초신경계도 IC를 거쳐 작은 도시로 이어지는 갈래길과 비슷하다고 보면 됩니다.

다만 차이점이 하나 있습니다. 예를 들어 경부고속도로에서 경주로 나가는 길은 하나입니다. 하지만 중추신경계에서 말초신경계로 나가는 길은 두 가지가 있습니다. 하나는 안전하고 편안한 길이고, 하나는 긴급하고 위험한 길입니다. 그 길이 바로 자율신경, 즉 '교감신경'과 '부교감신경'입니다.

솜이를 위험하다고 느끼는 사람들은 '교감신경'이라는 도로를 이용했습니다. 얼굴에는 긴장감이 돌고, 근육은 딱딱하게 굳어집니다. 만약 솜이가 더 다가간다면 주먹으로 방어를 할지도 모릅니다. 바로 우리 몸의 감정 온도가 높아질 때의 상태입니다. 반면 솜이를 좋아하는 사람들은 얼굴 근육이 이완되어 편안하고, 몸에도 힘이 들어가지 않습니다. 우리 몸의 감정 온도가 낮아진 상태로, '부교감신경'이 작용했기 때문입니다. 결론적으로, 감정 온도의 주인은 우리 몸의 자율신경계입니다.

공부, 운동, 놀이처럼 대개 낮에 이루어지는 활동이 이용하는 도로는 감정 온도가 높아지는 교감신경계입니다. 친구들과 싸우거나 부모님에게 꾸중을 들을 때도 교감신경이 활성화됩니다. 스마트폰으로 게임을 하거나 잔인한 뉴스를 볼 때도 마찬가지입니다. 반면 감정 온도가 낮아지는 부교감신경계라는 도로는 수면이나 휴식 같은 주로 밤에 하는 활동이 이용합니다. 가족과 함께 맛있는 밥을 먹거나 격려를 들을 때도 부교감신경의 활동이 증가합니다. 오솔길을 걸어도 부교감신경을 자극할 수 있습니다.

교감신경과 부교감신경은 양팔 저울과 마찬가지입니다. 한쪽이 무거워져 내려가면 다른 쪽은 반드시 올라갑니다. 교감신경의 활동이 우세하면 부교감신경의 활동이 줄어들고, 부교감신경의 활동이 늘어나면 교감신경의 활동이 줄어듭니다.

광주에서 서울로 가는 고속도로는 두 가지가 있지요. 하나는 호남고속도로이고, 다른 하나는 서해안고속도로입니다. 만약 사람들이 둘 중 하나만 이용하면 어떤 일이 벌어질까요? 도로가 정체되고 교통사고가 늘어날 것입니다. 우리 신경계도 마찬가지입니다. 교감신경과 부교감신경이 균형을 잘 이루어야 합니다.

교감신경과 부교감신경의 활성도 비율은 보통 하루일과의 흐름에 따라 자연스럽게 달라지며 균형을 이룹니다. 대개 낮 동안의 교감신경과 부교감신경의 활성도는 7:3입니다. 밤이 되면 그 반대가 됩니다. 낮 동안에 교감신경과 부교감신경의 활성도가 8:2 또는 9:1로 벌어지면 어떤 일이 일어날까요? 교감신경이 극도로 흥분되어 신체 균형이 무너집니다. 피로를 쉽게 느끼면서 별것 아닌 일에 화를 내거나 짜증을 부리게 됩니다. 교감신경계가 지나치게 활성화되면 밤에 잠도 이루지 못합니다.

저는 평소 테니스를 자주 치는데, 주말이면 동호인대회에 참여합니다. 그런데 문제는 대회 전날입니다. 마치 초등학생 시절 소풍 전날처럼 심장이 두근거리고, 설레는 마음이 풍선처럼 부풀어 잠을 잘 못 이룹니다. 숫자를 거꾸로 세어보고, 한 가지에 집중하면서 잠을 이루려고 노력해봐도 모두 허사입니다. 당연히 다음날 결과도 좋지 않습니다. 입상은커녕 겨우 예선전만 통과하는 경우가 다반사입니다. 대회 전날 교감신경계가 지나치게 활성화되어 잠을 잘 이루지 못해, 결과적으로 신체 균형도 무너졌기 때문입니다.

교감신경이 지나치게 활성화된 아이들의 생활 모습은 어떨까요? 우리가 흔히 주의가 산만하다고 하는 아이들이 여기에 해당합니다. 이런 아이들은 보통 어릴 때부터 에너지가 넘친다는 얘기를 많이 듣습니다. 한 가지 놀이에 집중하지 못하고, 조심성이 없어 잘 다치기도 합니다. 책상 주변 정리, 장난감 정리 등 자기가 할 일을 제대로 못 하며, 이해력에 문제가 없는데도 어른들의 말을 잘 듣지 않습니다. 학교 복도에서 뛰어다니고 높은 곳에 오르려는 경향이 강합니다. 수업 시간에도 잠시도 가만히 있지 못합니다. 손과 발을 가만히 두지 못하고, 손발이 가만히 있으면 고개가 움직입니다. 고개가 가만히 있으면 몸통이 움직이지요. 식사 시간에도 마찬가지입니다. 다리를 흔들면서 밥을 먹고, 친구들과 지나친 장난을 이어 갑니다. 선생님은 불안한 마음에 그 아이에게서 시선을 떼지 못합니다.

무엇보다 교감신경의 지나친 활성화는 분노를 동반합니다. 이런 아이들의 마음에는 분노라는 풍선이 부풀어 있는 경우가 많습니다. 그 풍선은 누군가 살짝 건드리기만 해도 터져버립니다. 친구가 지나가면서 어깨를 살짝 건들기만 해도 시비가 일어납니다. 주먹질이 오가고, 고함을 치며 주변의 물건들을 들고 친구에게 달려듭니다. 축구나 족구 경기 중에 친구들이 자신에게 공을 넘기지 않아도 버럭 화를 냅니다. 심지어 교사에게 화를 내고 덤벼드는 아이들도 있습니다. 학년이 올라갈수록 친구들도 하나둘 곁을 떠납니다. 그런데 이런 아이들이 점점 많아져서 문제입니다. 아이들의 높아진 감정 온도가 일상생활을 위태롭게 만들고 있습니다.

높은 감정 온도가
아이를 배움에서 멀게한다

어린이를 좀 더 낫게 만들려면 먼저 아이가 스스로 나쁘다고 느끼게끔 만들어야
한다는 어이없는 생각은 도대체 어디서 나왔을까? _제인 넬슨

커피포트에 물을 넣고 전원을 켜면 한참 후에 하얀 수증기가 올라오면서 물이 펄펄 끓기 시작합니다. 물이 뜨거워져 100℃에 도달했기 때문이지요. 99℃까지는 물의 성질이 변하지 않습니다. 하지만 마지막 1℃가 더해지면 액체에서 기체로 물의 성질이 변하게 됩니다. 물이 어는 것도 마찬가지입니다. 1℃에서는 물이 얼지 않습니다. 반드시 0℃가 되어야 물이 액체에서 고체로 변합니다. 우리는 이런 상황을 '임계점'이라고 부릅니다. 임계점에 도달하면 물질의 구조와 성질이 전혀 다른 상태로 변합니다.

사람에게도 임계점이 존재할까요? 저는 대학원에 다니던 시절 매주 금요일마다 천안에 있는 대학원에 가기 위해 운전대를 잡았

습니다. 광주에서 천안까지 약 2시간 30분 정도가 걸리는데, 보통 저녁 7시쯤 수업이 끝나고 운전을 시작하면 1시간쯤 지나서 점점 피곤이 몰려옵니다. 아무리 얼굴을 꼬집고 정신을 차리려고 애써 보아도 잠이 오는 걸 막기 어렵습니다. 피곤이라는 온도가 상승하여 육체와 정신이 버틸 수 없는 한계에 도달했기 때문입니다. 바로 이 순간이 임계점입니다.

우리 아이들도 마찬가지입니다. 아이들이 초등학교에 입학하면서부터 감정에 상처가 나기 시작합니다. 부모에게, 친구에게, 교사에게 받은 상처의 종류는 헤아릴 수 없이 많습니다. 그런 상처들이 불안, 두려움, 열등감이라는 감정이 되어 점점 마음의 영토를 지배합니다. 마치 집을 지을 때 벽돌을 쌓듯, 그러한 감정들이 차곡차곡 쌓이기 시작합니다. 이것이 감정 온도 상승입니다. 처음에는 아이 마음에 상처가 자라고 있다는 것을 잘 모릅니다. 마치 99℃까지는 물의 성질이 변하지 않는 것과 같습니다. 하지만 초등학교 저학년을 지나면서 행동이 급격히 변화하는 시점이 옵니다. 바로 감정의 임계점에 다다른 것입니다. 아이들이 감정 온도 임계점을 지나면 이전과는 전혀 다른 사람으로 변합니다. 건우처럼 매사에 욱하는 아이가 되거나, 희수처럼 남의 물건을 훔치기도 합니다. 아이들의 생김새와 성격이 모두 다르듯이 임계점을 넘어선 후 행동의 양

부모를 위한 감정의 온도

상도 모두 다릅니다.

사실 교사도 마찬가지입니다. 교사의 마음에도 수용하고 지도할 수 있는 감정 온도 임계점이 존재합니다. 그 임계점에서 벗어나면 몸이 아프거나 무기력해지기도 합니다.

6월에 전학 온 한 아이가 있었습니다. 그 아이가 오기 전까지 그 반 담임선생님은 늘 평온하고 행복해 보였습니다. 그런데 한 달이 지나자 전학 온 아이에 대한 여러 소문이 퍼지기 시작했습니다. 한번은 학교 식당 지붕으로 공이 올라갔는데, 아이가 그 공을 줍기 위해 지붕에 올라갔답니다. 이를 발견한 선생님이 위험한 행동을 한 것을 나무라자 오히려 아이는 "지붕을 왜 그렇게 만들어서 공이 올라가게 했어요?"라고 대꾸했습니다. 여기까지는 귀여운 수준입니다. 하루는 그 아이가 식판을 들고 달리다가 바닥에 넘어졌습니다. 선생님이 식당에서 뛰지 말라고 지도하자, 아이는 바닥을 미끄럽게 만들어서 자신이 넘어진 거라며 한바탕 소란을 피웠습니다. 이 아이는 자신의 잘못된 모든 행동을 남의 탓으로 돌렸습니다.

그 아이가 전학을 온 후 석 달이 지난 어느 날, 아이의 담임선생님이 쓰러졌다는 소식을 들었습니다. 구급차에 실려 응급실로 이송된 그 선생님은 한동안 학교에 나오지 못했습니다. 그분은 교직 경력 30년에 이렇게 힘든 아이는 처음이라고 하소연했습니다.

‘뚜껑 열린다’라는 말을 한 번쯤은 들어보았을 것입니다. 어쩌면 감정을 가장 잘 표현한 말이라는 생각이 듭니다. 주전자의 끓는 물이 100℃가 되면 뚜껑이 열리면서 수증기가 나오듯 사람의 감정도 그렇습니다. 감정의 온도가 100℃에 도달하면 생각이 변하고 성격이 달라집니다. 욱하는 사람이 되어 분노가 폭발하기도 하고, 심한 상실감에 빠져 눈물만 흘리기도 합니다. 요즘 학교에는 감정의 온도가 100℃ 이상인 학생들이 넘쳐나고 있습니다.

추운 겨울날 자동차에 시동을 걸면 아무 반응이 없을 때가 있습니다. 이런 경우 대개는 배터리 문제이지요. 배터리가 방전되어버린 것입니다. 아이들도 마찬가지입니다. 감정의 온도가 100℃를 넘어선 아이들은 시동이 걸리지 않습니다. 교사와 부모의 말도 듣지 않습니다. 우리의 기대와는 전혀 다른 길로 나아갑니다. 아무리 붙잡으려고 해도 뿌리치며 도망갑니다. 교사나 부모와 언쟁하는 일이 잦아지며 주변에 있던 친구들도 하나둘 곁을 떠납니다.

이렇게 감정 온도가 높아진 아이들에게 어른들은 무엇을 가르칠 수 있을까요? 얼굴이 빨개질 정도로 화가 치밀면 옆에서 아무리 이성적이고 냉정한 해결책을 알려주어도 귀에 들어오지 않았던 경험이 있을 겁니다. 감정이 강렬하고 뜨거울 때 이성은 우리에게 어떠한 방향도 제시해주기 어렵습니다. 감정은 본능적으로 이성에 우선하여 작동하기 때문입니다. 감정이 임계점을 넘어 뜨거워지면 우리 몸은 생존 본능에 의해 숨거나, 도망가거나, 누군가를 공격하는 게 당연한 반응입니다.

자동차의 배터리는 다른 배터리를 연결하여 다시 충전시킬 수 있습니다. 그렇다면 감정 온도가 높아진 아이들을 어떻게 다시 정상 궤도로 돌려놓을 수 있을까요? 감정 온도가 펄펄 끓는 아이를 어른들이 만들어놓은 모범 학생의 틀에 억지로 끼워 넣는 것은 옳은 방법이 아닙니다. 많은 부모들이 아이들의 지능, IQ에 관심을 보입니다. 머리가 좋으면 공부도 잘할 거라는 기대감 때문입니다. 그러나 실제로 성공을 좌우하는 것은 지적 능력이 아니라 정서 지능, 즉 감정을 잘 처리하고 다루는 능력이라는 주장이 요즘은 더욱 힘을 얻고 있습니다. 현명하게 삶의 방향을 찾기 위해서 필요한 것은 공부를 많이 하고 지식을 쌓는 것이 아니라 감정이 하는 말에 귀를 기울이는 것입니다. 사회적으로 성공하는 사람들도 두뇌가 뛰어나기보다 감정을 통해 정보를 얻고 환경에 적응하며 발전했습니다. 감정이 멋대로 끓어오르도록 내버려두지 않고 감정과 대화하며 통제하는 능력이 결국 우리를 안전하고 편안하게 하여 배움으로 이끕니다.

감정 온도의 임계점을 넘으면 스스로가 행복해지기 어렵다는 것도 알아야 합니다. 행복한 감정을 느껴본 사람이 행복을 찾을 수 있습니다. 감정이 잔잔한 호수처럼 안정적일 때 무언가를 배우는 데 관심을 갖고 몰두할 여유도 생겨납니다.

부모를 위한 감정의 온도

434명의
감정 가족

어릴 때 읽었던 《의좋은 형제》라는 전래동화를 기억하시나요? 유독 우애가 좋은 형과 아우가 가을날 추수를 끝내고 서로에게 볏단을 나눠주기 위해 각자의 집 앞에 몰래 가져다 놓습니다. 분명 볏단을 나눠줬는데도 양이 줄지 않아 이상하게 여기던 두 형제가, 어느 날 밤 서로 볏단을 들고 가다가 길에서 마주쳐 진실을 알게 되자 서로의 마음에 감동해 얼싸안고 눈물을 흘렸다는 이야기입니다.

두려움이라는 감정에도 이처럼 의좋은 형제가 있습니다. 때로는 두려움을 떨쳐내기 위한 '용기'와 형제가 되기도 하고, 나를 방어하기 위한 '분노'와 형제를 맺기도 합니다. 사실 우리 감정은 수백 명

의 형제를 두고 있습니다. 두려움, 분노, 슬픔, 외로움, 기쁨, 열등
감, 수치심 등 언어나 문화에 따라 수십에서 수백 가지의 감정 가족
이 나의 감정을 이루고 있습니다.

　서울대학교 심리학과 민경환 교수팀은 한국어의 감정 단어를 연
구한 〈한국어 감정 단어의 목록 작성과 차원 탐색〉을 발표했습니
다. 그에 따르면 우리나라 말에는 감정을 표현하는 단어가 434개나
있다고 합니다. 즉, 우리나라 사람들은 434명의 감정 가족과 살고
있다는 것이지요. '나'는 그 434명의 가족 중 대표 이름인 셈입니
다. 그중 '두려움'이라는 감정은 교사 혹은 부모의 역할을 합니다.
운동장에서 넘어진 아이에게는 '용기'를, 친구로부터 부당한 일을
당한 아이에게는 '화'를, 성적이 떨어진 아이에게는 '노력'을, 가족
이 아픈 아이에게는 '슬픔'이라는 형제를 데려다줍니다. 나의 몸과
마음이 건강한 상태를 유지할 수 있도록 말이지요.

　그런데 두려움이라는 교사를 무시한다면 어떻게 될까요? 교사
는 학생들을 착실히 돌보지 않게 될 것입니다. 끊임없이 학부모 민
원에 시달리는 교사가 아이들을 돌보는 데 집중하기 어려운 것과
마찬가지입니다. 우리는 지금까지 두려움이라는 교사를 억압하기
에 바빴습니다. 두려움을 내 몸에서 없애야 하는 대상으로 여겼지

요. 수많은 자기계발서에도 두려움은 극복해야 할 대상이며, 대항해야 하는 감정이라 적혀 있습니다. 하지만 진정으로 두려움을 극복하고 싶다면, '억압'이 아니라 '존중'이라는 방법을 선택해야 합니다.

학교에서 교사에게 사랑받는 아이들을 보면 몇 가지 공통점이 있습니다. 그중 하나는 부모가 교사를 존중한다는 점입니다. 행복한 교사가 행복한 아이들을 만든다는 말이 있습니다. 교사는 아이들과 학부모의 존중을 받았을 때 가장 행복하다고 합니다. 부모가 교사를 존중하지 않으면 아이들도 교사를 존중하지 않습니다. 두려움이라는 감정도 마찬가지입니다. 다른 감정 가족들로부터 존중을 받았을 때 몸과 마음을 건강하게 지켜줍니다.

434개의 감정 중에서도 두려움이 이처럼 중요한 이유는 무엇일까요? 사실 인간은 맹수에 비하면 근육의 힘이 턱없이 부족합니다. 작은 동물들과 비교하면 동체 시력도 형편없이 나쁘고, 움직임도 날렵하지 않습니다. 사실상 스스로를 지킬 힘이 거의 없다고 봐도 좋습니다. 다만 딱 하나, 다른 동물들보다 나은 점이 있다면 바로 생각하는 마음입니다. 생각하는 마음은 인류가 집단을 이루어 움직이게 했고, 그 덕분에 맹수에 대한 두려움을 일부 제거해 나갈 수 있었습니다. 그리고 진화에 진화를 거듭하여 생존에 따르는 많은 두려움을 이겨낼 수 있었지요.

하지만 현대의 인류를 살펴보면 의아합니다. 불행히도 현대인들은 원시 인류보다 더 큰 두려움에 사로잡혀 살아가고 있습니다. 분노, 우울, 불안에 시달리는 아이들이 넘쳐나며 불안장애, ADHD, 공황장애, 도벽, 거짓말 등 아이들의 심리 장애 대부분은 두려움과 관련되어 있습니다. 다만 두려운 정도에 따라 그 이름이 달라질 뿐이지요. 현대 문명의 발전과 개인의 노력에도 불구하고 우리가 근본적으로 두려움을 극복하지 못하는 이유는 무엇일까요?

그에 대한 답을 찾으려면 두려움을 만드는 뇌 기관에 대한 이해가 필요합니다. 지렁이도 밟으면 꿈틀한다는 말이 있습니다. 아무리 순하고 좋은 사람일지라도, 혹은 지위가 낮은 사람일지라도 함부로 대하면 가만있지 않는다는 것을 비유적으로 표현한 말이지요. 여기서 지렁이가 꿈틀하게 하는 감정이 바로 두려움입니다. 지렁이도 두려움을 가지고 있는 것입니다.

생물의 진화 과정을 살펴보면, 현존하는 동물의 조상이라 할 수 있는 고대 동물이 출현한 시기가 대략 5억 년 전이고, 파충류와 조류는 3억 5천만 년 전에 출현하였습니다. 1억 5천만 년 전에 포유류가 출현했고, 공룡 대부분이 멸종했습니다. 그렇다면 동물에게 감정이 출현한 시기는 언제로 보아야 할까요? 강아지를 포함한 포유류에게 감정이 있다는 것은 누구나 아는 사실입니다. 그렇다면 조류나 파충류는 어떨까요? 조류나 파충류도 사람처럼 스트레스를 받으면 아드레날린이나 코르티솔 같은 호르몬의 양이 증가하면서 체온이 오릅니다. 감정이 발생한 것입니다. 그렇다면 감정의 나이는 3억 5천만 년 정도 되었다고 볼 수 있을까요?

스페인 바르셀로나대학교 연구진의 실험을 통해 감정의 역사를 알아볼 수 있습니다. 연구진은 '제브라피시'라는 물고기 72마리와, 서로 다른 온도의 물이 담긴 수조 2개를 준비했습니다. 이 수조 사이에 관을 설치하여 제브라피시가 자유롭게 이동할 수 있도록 했습니다. 그리고 제브라피시를 두 그룹으로 나누어, A 그룹은 28℃ 수조에 넣고, B 그룹은 27℃ 수조에 넣어 두었습니다. 15분 뒤에 수조를 관찰해보니 A 그룹의 물고기들은 자기 수조를 떠나지 않았지만, B 그룹은 A 그룹의 수조로 옮겨가려고 애쓰는 모습을 확인할 수 있었습니다. 이 실험에서 B 그룹의 물고기들의 신체에 주목할 만한 변화가 일어났습니다. B 그룹의 체온이 실험 시작 시점보다 2℃에서 4℃까지 올랐습니다. 체온이 오르는 현상은 감정적인 흥분이 나타난다는 것입니다. 이런 이유로 어류도 감정이 있다고 주장하는 학자들이 나타나기 시작했습니다. 어류의 출현 시기는 약 5억 년 전입니다. 그렇다면 진화적인 관점에서 감정의 역사 역시 5억 년 전으로 거슬러 올라갈지도 모릅니다.

반면 생각하는 마음을 가진 우리 뇌의 역사는 어느 정도 될까요? 생각하는 마음은 뇌의 바깥 부분에 있는 '신피질'이라는 부위가 관장합니다. 여기에서 언어 활동을 토대로 기억, 분석, 판단 등의 모든 창조 활동이 이루어집니다. 생각하는 마음을 담당하는 뇌가 출현한 시기는 학자에 따라 차이가 있지만 대략 200~300만 년 전으로 보고 있습니다. 두려움을 기반으로 하는 감정의 뇌가 출현한 지 5억 년이 된 것을 감안하면 생각하는 뇌가 존재해온 시간은 찰나에 불과한 셈입니다. 감정의 뇌는 편도체를 중심으로 시상하부, 해마 등 변연계가 담당하고 있고, 생각하는 뇌는 전두엽을 중심으로 후두엽, 측두엽, 두정엽 등 가장 최근에 진화된 부위에서 담당합니다.

감정 뇌는 생명이 위험하다고 판단되면 불안이나 두려움이라는 감정을 자동으로 생성합니다. 생각 뇌가 아무리 괜찮다고 이야기해도 감정 뇌에게는 아무 소용이 없습니다. 산속을 혼자 걸어갈 때

부모를 위한 감정의 온도

아무리 괜찮다고 속으로 되뇌어도 어쩔 수 없이 무섭고 식은땀이 나는 것도 그 때문입니다. 불안장애, 분노조절장애, ADHD, 공황장애, 도벽이나 거짓말을 하는 아이들이 늘어나는 이유는 이처럼 강력한 감정 뇌가 작동하기 때문입니다.

Chapter 2

부모의 감정 온도를
낮추는 법

아이는 부모의 모습을
보고 배운다

어른 말을 잘 듣는 아이는 없다. 하지만 어른이 하는 대로
따라 하지 않는 아이도 없다 _제임스 볼드윈

아침이면 집을 나서기 전 꼭 들르는 장소가 있습니다. 바로 거울
앞입니다. 셔츠에 어울리는 넥타이를 찾아 이것저것 매어보기도
하고, 혹시 옷에 먼지가 묻지는 않았는지 살펴보기도 합니다. 만약
우리 삶에서 거울이 없다면 어떻게 될까요? 화장을 잘못해서 웃음
거리가 되기도 하고, 식사 후에는 수저에 비친 얼굴을 보면서 이에
이물질이 끼었는지 살펴봐야 할 것입니다. 인류 최초의 거울은 아
마 호수나 연못과 같은 물의 표면이었겠지요. 하지만 물의 표면은
휴대하기 불가능하고 쉽게 흔들리기도 합니다. 그래서 사람들은
암석을 갈아 매끈하게 윤을 내어 거울을 만들기 시작했습니다.

부모를 위한 감정의 온도

이러한 거울은 우리 머릿속에도 있습니다. 앞에서 언급한 거울 뉴런이 그것이죠. 거울 세포라고도 합니다. 다른 사람의 행동을 거울처럼 반영하는 신경세포라고 해서 붙여진 이름입니다. 거울 세포는 이탈리아의 신경심리학자 리졸라티$^{Giacomo\ Rizzolatti}$ 교수의 연구팀이 원숭이의 뇌에서 발견했습니다. 그들은 원숭이에게 여러 가지 동작을 시켜보면서, 그 동작에 따라 뇌의 어느 부분이 활성화되는지 살펴보았습니다. 그러던 어느 날 연구팀은 매우 흥미로운 사실을 발견했습니다. 한 원숭이에게서, 다른 원숭이나 주위에 있는 사람의 행동을 보기만 했는데도 직접 움직일 때처럼 반응하는 세포들이 발견되었던 것입니다.

예를 들어 A 원숭이에게 접시에 있는 땅콩을 집게 합니다. 이때 A 원숭이의 뇌를 관찰하면 활성화되는 부분이 있습니다. 이 활성화된 부분은 땅콩을 집는 행동에 관련된 신경세포의 활동 상태를 나타냅니다. 그런데 이것을 보고 있던 B 원숭이의 뇌도 A 원숭이의 뇌와 정확하게 일치하는 부분이 활성화됩니다. 즉, 직접 행동으로 옮긴 A 원숭이의 뇌 반응이 마치 거울에 비친듯이 B 원숭이의 뇌에서 똑같이 일어났던 것입니다.

사람의 거울 신경은 원숭이보다 훨씬 더 발달했다고 합니다. 덕분에 다른 사람의 행동을 보기만 해도, 자신이 그 행동을 하는 것처럼 뇌의 신경세포가 반응합니다. 엄마가 거실을 청소하고 있다고 해보죠. 이때 엄마의 뇌를 관찰하면 활성화된 부분이 있습니다. 이것을 보고 있는 아이의 뇌도 엄마의 뇌와 같은 부분이 활성화됩니다. 이 같은 반응은 타인의 행동을 관찰할 때뿐만 아니라 상대방의 이야기를 듣고만 있을 때도 똑같이 일어납니다.

● ● ●

아이가 태어나서 가장 많이 접하는 게 부모의 말과 행동입니다. 아이의 뇌 속에 있는 거울 세포는 부모의 말과 행동을 똑같이 따라 합니다. 아이의 뇌가 부모의 뇌와 비슷한 상태가 되는 것이죠. 아이에게 "사랑해"라고 말하면 아이는 이 말을 할 때 부모가 느끼는 행복을 그대로 느낍니다. "넌 누구를 닮아서 그 모양이니?"라고 말하는 부모의 감정은 불평과 불만으로 가득합니다. 이 말을 듣는 아이도 불평과 불만이 가득한 기분을 느끼게 됩니다. 부모의 말과 행동이 거칠면 아이의 뇌도 거칠어집니다. 반대로 부모의 말과 행동이 부드러우면 아이의 뇌도 어느 순간 부드러워져 있습니다. 아이들의 배움, 성장, 행복을 결정하는 열쇠를 부모가 쥐고 있는 것은 바로 이 거울 세포 때문입니다.

부모를 위한 감정의 온도

물론 부모들도 할 말이 많습니다. 오늘의 나를 만든 사람은 누구일까요? 나의 부모님입니다. 나도 거울 세포에 의해서 이미 나의 부모님을 닮아버렸습니다. 만약 우리 아이가 다른 사람들에게 칭찬을 많이 받는다면 이 또한 나의 부모님 덕입니다. 아이 때문에 눈물이 마를 날이 없어도 이 또한 나의 부모님 때문입니다. 나의 부모님도 마찬가지겠지요. 나의 부모님의 부모님이 그렇게 만드셨습니다. 이것을 '집안의 내력' 혹은 '문화'라고도 합니다. 다르게 해석하면 '좋은 엄마에게서 자라난 아이는 그다음 다음 세대에게까지 긍정적인 영향을 미친다'는 것입니다.

세상 모든 부모의 마음은 같습니다. 아이가 큰 부자는 못되더라도 올바른 인성을 갖추고 자신의 분야에서 전문성을 발휘하면서 행복하게 살기를 원합니다. 거울 세포는 이런 바람을 실현하기 위해서 '악순환'을 끊어야 한다고 말합니다. 내가 악순환을 끊어내면 나의 자식과 그 후손은 행복한 삶을 이어갈 것이고, 끊어내지 못하면 결국 불행해질 것입니다. 거울 세포는 이렇게 말합니다. "매일 예쁜 것을 보고 듣게 하라." 부모로부터 예쁜 말을 들은 아이의 뇌는 저절로 예뻐집니다. 부모의 거친 말과 행동을 본 아이에게는 저절로 불평과 불만이 쌓입니다. 아이의 감정 온도를 내리기 위해서는 부모의 감정 온도를 먼저 내려야 하는 이유입니다.

아이는 세상에서
가장 귀한 손님

아이는 관리되어야 하는 존재가 아니라, 부모의 기쁨이어야 하고
소중하게 여겨져야 하는 존재다 _대니얼 J. 시걸

이제 딸아이는 큰 인생의 강 앞에 마주하고 서 있나이다. 나는 그 강에 다리를 놓아줄 수도 없나이다. 대신 헤엄쳐줄 수도 없나이다. 그저 바라옵건대 하느님, 저 어린 딸아이에게 언제나 절망치 않는 큰 용기와 인내를 주어서 그 강을 무사히, 끝까지 건너가게 도와주소서.

故 최인호 작가의 《나의 딸의 딸》이라는 책에 나오는 한 단락입니다. 이 책에는 딸에 대한 사랑, 손녀에 대한 사랑의 기록이 절절히 묻어 있습니다. 이 책을 읽으면 '자식'의 의미에 대하여 많은 생각을 하게 됩니다. 부모라면 누구나 그렇지 않을까요?

부모를 위한 감정의 온도

얼마 전 학부모들과 '나에게 자식은 어떤 의미인가?'라는 주제로 이야기를 나누었습니다. 어느 1학년 엄마는 "힘들어도 버티게 해주는 힘이 아닐까요?"라고 대답했습니다. 아무리 어렵고 힘들어도 집에서 기다리는 아이를 생각하면 용기가 난다고 덧붙이면서요. 옆에서 가만히 듣고 있던 2학년 엄마도 "제가 살아가는 이유가 아닐까요?"라고 비슷한 얘기를 했습니다. 1, 2학년 학부모 대부분이 아이들은 부모의 희망이기에 오늘도 열심히 살아가게 된다고 했습니다.

3, 4학년 학부모들의 이야기를 들어보았습니다. 어느 학부모가 "제 두 번째 인생인 것 같아요"라고 대답했습니다. 보통은 결혼과 함께 제2의 인생이 시작된다고 하는데, 자식을 교육하면서 인생의 새로운 막이 열렸다고 느끼는 건 그만큼 아이를 기르는 게 어렵다는 의미일 겁니다. 특히 아이가 초등학교 3학년이 되면서 아이들 교육이 세상 무엇보다 가장 어렵다는 것을 깨닫게 된다고 합니다. 이런 얘기를 들으면서 저는 속으로 이렇게 중얼거렸습니다. '이제 아이가 중학교에 가보세요. 그럼 금방 제3의 인생이 시작된답니다.'

5, 6학년 학부모들은 어떤 얘기를 했을까요? 대부분 아무 말 없이 빙긋 미소만 지었습니다. "솔직히 잘 모르겠어요. 아이를 어떻

게 키워야 할지.” 어느 학부모의 말에 다른 학부모들도 드디어 말문을 엽니다. “맞아요. 정말 모르겠어요.”, “갈수록 힘들어요. 내 아이가 맞나 싶어요.” 고학년 엄마들은 벌써 많이 지친 모습입니다. 모임 참석률만 비교해봐도 금방 알 수 있습니다. 교육과정 설명회, 수업 공개에 빠짐없이 참석하던 학부모들도 아이가 고학년이 되면서 참여 횟수가 급격히 줄어듭니다. 상담 주간이 되어도 상담 신청자 수가 많지 않습니다. 정말 아이 교육에 지쳐서 그런 걸까요?

• • •

이미 다혜는 내 자식이 아니라 자신만의 인격을 지닌 자유인이다. 나는 다만 아버지로서 그녀가 우리 곁을 떠날 때까지 잠시 맡아 기르는 전당포 주인에 불과하다.

《나의 딸의 딸》에 나오는 자식에 대한 정의입니다. 이처럼 자식이란 조물주가 나에게 잠시 맡아 기르라고 보내준 손님이 아닐까 싶습니다. 손님에게 ‘큰 꿈을 지니고 살았으면…’, ‘숙제를 스스로 했으면…’, ‘영어와 수학을 잘했으면…’, ‘친구가 많았으면…’ 같은 바람이나 욕심을 갖는 주인은 없습니다. 그저 손님을 위하여 집을

부모를 위한 감정의 온도

깨끗하게 치워놓고, 맛있는 음식을 대접하고, 손님의 이야기를 잘 들어주는 것이 주인의 역할입니다.

어쩌면 우리 아이들이 빨리 지치는 이유는 아이들이 부모의 별이고 꽃이기 때문인지도 모릅니다. 아이들은 별처럼 밝게 빛나야 하고, 꽃처럼 아름답게 피어나야 하니까요. 1, 2, 3학년 아이들은 별과 꽃이 되기 위하여 열심히 노력합니다. 부모가 느낄 수 있을 정도로 배움의 속도도 확연하게 빨라집니다. 그래서 부모는 '우리 아이가 혹시 영재가 아닐까?'라고 착각하기도 합니다. 열심히 노력하는 아이를 보면서 부모는 더 많은 욕심을 부리게 됩니다. 더 예쁜 꽃이 되라고, 더 빛나는 별이 되라고 필요 이상의 물을 줍니다. 아이들은 학년이 올라갈수록 더 많은 것을 배워야 한다는 걸 알게 되고, 점점 지쳐갑니다.

필요 이상으로 물을 많이 준 꽃은 오히려 뿌리가 썩습니다. 아이들도 그렇습니다. 초등학교 저학년 시기에 공부에 지쳐버린 아이들은 빠르면 4학년, 늦으면 중학생이 되어 변하기 시작합니다. 학원을 빼먹고, 공부와 담을 쌓고, 부모에게 반항합니다. 이런 아이들을 보면서 부모는 무엇인가 잘못되고 있음을 직감합니다. 책도 읽어보고, 이곳저곳 학부모 연수회에도 참석해봅니다. 학부모 연수회에서 배운 방법대로 아이와 소통하기 위하여 노력해도 결과는 신통치 않습니다. '우리 아이는 다를 줄 알았는데 그 무섭다는 중2병이 시작되고 있나 봐'라고 애써 위안해봅니다.

사실 중2병은 생물학적으로 존재하지 않습니다. 중2병이 나타나는 나이가 있는 것이 아니라, 초등학교 시절 내내 쌓였던 감정이 폭발하는 것입니다. 물론 이론적으로는 전두엽의 조절력이 약해지는 것이 이 시기의 특징임은 부인할 수 없겠지요. 다만 '감정의 쌓임'에 대해 간과해서는 안 됩니다. 식물에 관한 책을 많이 읽으면 식물 분야에 지식이 쌓이듯이, 감정도 지식처럼 쌓입니다. 좋은 감정이든 나쁜 감정이든, 벽돌을 쌓듯이 차곡차곡 뇌에 기록됩니다.

중2병을 막기 위해서는 아이를 조물주가 보내준, 세상에서 가장 귀한 손님이라고 여겨야 합니다. 아이를 귀한 손님이라고 여기면 무엇이 달라질까요? 우선 손님이 원하는 차와 음식을 대접할 것입니다. 그리고 손님의 이야기에 귀를 기울일 것입니다. 무엇보다 아이들을 귀한 손님으로 여기면 엄마의 감정 온도가 낮아집니다. 귀한 손님에게 거친 말을 일삼을 수 없으므로 부드럽고 상냥하게 말하기 위하여 노력합니다. 설령 손님의 행동이나 말이 언짢더라도 불평이나 불만을 드러낼 수 있을까요? 조물주가 보내준 귀한 손님에게는 그럴 수 없습니다.

주인에게 귀한 대접을 받는 손님의 마음은 어떠할까요? 주인의

부모를 위한 감정의 온도

따뜻한 마음을 가슴 깊이 간직할 것입니다. 나중에 주인을 자기 집으로 초대하여 정성껏 보답할 수도 있겠지요. 마찬가지로 아이들도 귀한 손님 대접을 받으면 부모에게 보답합니다. 힘들어도 더 열심히 공부하려고 노력하고, 책도 더 많이 읽으려고 합니다. 아이들은 세상 누구보다도 부모의 인정을 받고 싶어하기 때문입니다. 스마트폰 게임에만 빠져 있던 아이였는데 이제 엄마가 보면 빙긋이 웃으면서 스마트폰을 내려놓습니다. 책과 담을 쌓고 지내는 줄 알았는데 언제부터인지 책상에 책이 펼쳐져 있습니다. 달라진 귀한 손님의 모습을 보면서 주인은 행복해합니다. 엄마의 감정 온도가 점점 낮아집니다. 아이를 진정으로 사랑하는 길은 귀한 손님으로 대접하는 것입니다.

욕심은
감정의 돌

과도한 욕망보다 큰 참사는 없다. 불만족보다 큰 죄는 없다.
· 탐욕보다 큰 재앙은 없다 _노자

나의 감정 온도를 낮추고 자식을 귀한 손님으로 맞이하기 위해서는 내 마음속에서 함께 살고 있는 감정의 모습을 살펴보아야 합니다. 감정이 욕심으로 채워지면 감정 온도가 올라가고, 아이는 나의 소유물로 전락합니다. 이때부터는 아이와의 전쟁이 시작되지요. 반면 내 마음의 감정이 아이를 귀한 손님으로 생각하면 감정 온도는 내려가기 시작합니다. 욕심이 사라지면 행복이 시작됩니다.

내 감정이 살아가는 장소인 내 마음속은 마치 호수와 같습니다. 사계절 꽃이 피어나는 잔잔한 호숫가를 산책할 때면 마음이 평온해집니다. 오리 떼가 한가로이 떠다니고, 사람들은 도란도란 이야기를 주고받습니다. 바람이 잠든 호수는 마치 평화로운 사람들의 감정처럼 조용히 반짝입니다.

하지만 호수에도 바람이 심하게 부는 날이 있습니다. 여름날 태풍이 찾아오기도 하며, 차가운 겨울바람이 매섭게 몰아칠 때도 있습니다. 그런 날은 호수의 물결이 심하게 일렁입니다. 사람을 구경하기도 힘들고, 오리 떼도 어디론가 사라져 보이지 않습니다. 우리 마음도 그런 호수와 비슷할 때가 있습니다. 분노에 사로잡혀 여유와 평화가 사라지고, 오직 미움의 대상만 풍선처럼 점점 부풀어 오릅니다.

하지만 물결이 잔잔해지면 바람을 피해 잠시 사라졌던 오리 떼도 어느새 다시 모습을 드러냅니다. 호수 표면에 물결이 일었다가 사라지기를 반복하는 것처럼 우리 마음의 호수에도 늘 같은 풍경이 계속되지는 않습니다. 단 하루 사이에도 소소한 기쁨 또는 사소한 상처가 생겨났다 사라지곤 합니다.

그런데 같은 세기와 양의 바람이 불더라도, 호수의 크기와 깊이가 다르다면 영향을 받는 정도도 달라질 수밖에 없습니다. 미풍이 부는 날 커다란 호수의 물결은 잔잔하지만, 작은 호수의 물결은 크게 일렁입니다. 깊고 넓을수록 바람의 영향을 덜 받습니다. 우리 마음에 있는 호수도 누군가의 것은 크고 깊지만, 누군가의 것은 간장 종지만큼 작습니다. 종지에 가득 담긴 간장은 입으로 살짝 불기만 해도 튀어서 옷을 더럽히지요. 그게 바로 작은 일에도 불같이 화를 내는 사람들의 모습입니다. 어쩌면 교육은 감정이라는 호수의 크기를 키우는 일인 것 같습니다. 교육뿐만이 아니겠지요. 우리가 책을 읽거나 여행을 하는 이유도 감정 호수를 넓히기 위함입니다.

· · ·

감정 온도를 낮추기 위해서는 일단 우리 마음속 감정 호수를 바라보아야 합니다. 호수가 간장 종지만큼 작아지는 이유는 무엇보다 욕심 때문입니다. 감정의 가장 밑바닥에는 두려움이 존재합니다. 자녀의 미래에 대한 불안이 커지면 부모의 감정 호수에는 두려움이 욕심이라는 감정으로 얼굴을 바꾸어 나타납니다.

사실 욕심이란 인간이 현대 문명을 발달시킬 수 있었던 가장 근본적인 에너지이기도 합니다. 지금 제가 이 글을 쓰는 이유도 결국 욕심 때문이지요. 욕심은 호수 바닥에 있는 돌, 자갈, 모래에 비유할 수 있습니다. 돌, 자갈, 모래의 양이 많아지면 호수에 담을 수 있는 물은 줄어듭니다. 호수에 물이 줄어들면 물고기들이 살 수 없습니다. 마찬가지로 욕심이라는 감정이 커지면 내 마음이라는 호수에서 감사, 기쁨, 배려와 같은 감정들이 숨을 쉬지 못합니다. 자식에 대해서는 어떨까요? '공부를 좀 더 잘했으면…', '꿈이 보다 명확했으면…', '책을 좀 더 많이 읽었으면…' 하는 마음으로 부모들은 아이들을 바라봅니다. 이 욕심이 커지면 아이가 원하는 것이나 잘하는 것을 보는 눈이 가려집니다. 공부는 내팽개치고 종일 게임이나 하고 노닥거리는 것만 눈에 들어옵니다.

부모의 욕심이 줄어들어야 아이가 원하고 잘하는 것을 제대로 발견할 수 있습니다. 아이에 대한 배려, 감사, 기쁨이라는 감정이 부모의 감정 호수를 넓히고 감정 온도를 낮춰줍니다. 감정 온도가 낮아지면 부모의 눈빛과 목소리부터 부드럽고 따스하게 달라집니다. 그러면 아이도 조금씩 변화합니다. 부모와 아이 모두 행복해집니다. 이런 아이에게 중2병은 절대 올 수가 없습니다. 선순환이 반복되는 것입니다.

체면은
감정의 자갈

다른 사람이 어떻게 생각하느냐는 중요하지 않다. 다른 사람의 눈이야말로
우리를 파멸로 몰고 가는 원흉이다 _벤자민 프랭클린

우리는 살아가는 매 순간 수많은 경험을 합니다. 그런데 생각해보면 우리의 경험 중에는 잘 기억나는 것과 기억나지 않는 것이 있습니다. 초등학교 입학식을 떠올려볼까요? 입학식 날 아침 일찍 엄마 손을 잡고 집을 나섰던 기억이 납니다. 집이 학교와 상당히 멀어서 커다란 호수 하나를 지나 한참을 걷고 또 걸었습니다. 날씨가 추워 손을 호호 불며 학교에 도착했고, 교장선생님의 훈화 말씀을 들었습니다. 제일 예쁜 여선생님이 담임이 되었던 것도 생각납니다. 당시 담임선생님의 얼굴과 이름은 지금도 선명하게 떠오릅니다. 하지만 교장선생님의 얼굴이나 이름은 전혀 떠오르지 않고, 키

부모를 위한 감정의 온도

가 크던 짝꿍의 이름도 잊어버렸습니다. 교실 풍경도 풍금이나 책 걸상만 어렴풋이 떠오를 뿐 구체적인 것은 생각나지 않습니다.

심리학에서는 담임선생님의 얼굴과 이름처럼 시간이 지나도 떠오르는 기억을 '의식'이라고 하고, 교장선생님이나 짝꿍에 대한 것처럼 떠오르지 않는 기억을 '무의식'이라고 합니다.

의식과 무의식은 빙산에 빗대어 설명할 수 있습니다. 눈에 보이는 수면 위의 빙산은 작지만, 수면 아래에는 보이는 것보다 몇 배 큰 빙산이 자리 잡고 있습니다. 수면 위로 솟아 있는 빙산이 5m라고 가정하면 수면 아래에는 30~50m의 빙산이 있다고 합니다. 빙산의 90%는 물속에 잠겨 있고, 10% 정도만 수면 밖으로 보이는 것입니다.

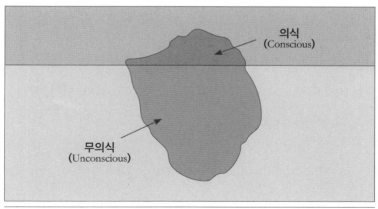

빙산에 비유한 의식과 무의식

우리의 기억도 빙산과 비슷합니다. 일상의 경험 중에서 기억으로 남는 것은 극히 일부에 지나지 않습니다. 나머지 기억은 모두 어디론가 사라져버립니다. 초등학교 입학식 때 본 친구들의 얼굴을 하나하나 떠올리려 노력해도 허사입니다. 정신분석학자들은 우리가 잊은 기억들이 무의식으로 들어갔다고 설명합니다. 정말 그런 걸까요?

아마 초등학교 입학식이 마치 영화의 한 장면처럼 생생하게 기억나는 사람도 있을 것이고, 저처럼 일부만 간헐적으로 기억나는 사람도 있을 겁니다. 기억의 정도는 사람마다 다를 수밖에 없습니다. 다만 공통점이 있다면, 그날의 개별 사건에 대한 사실적인 기억보다는 그때의 기분과 감정이 더 생생히 기억난다는 것입니다. 입학식 날 들었던 교장 선생님의 훈화 내용은 전혀 기억나지 않지만, 훈화를 들으며 지루함에 온몸을 비틀 정도로 괴로웠던 기억은 남아있습니다. 그러다 담임선생님과 눈이 마주쳤는데, 선생님은 환한 미소로 어린 저를 달래주셨습니다. 지금도 제 몸 어디엔가 그 미소가 숨어 있습니다.

우리는 오감을 통해 체험한 것을 감정과 함께 기억합니다. 즉, 기억은 사건과 감정으로 구성된다고도 할 수 있습니다. 이것이 우리의 기억 체계에서 의식에 해당하는 부분입니다. 하지만 분명히 똑같은 강도의 자극이었을지라도 전혀 생각나지 않는 것들이 더 많습니다. 특별히 주의를 기울이지 않으면 지금 길가의 풍경이나 지나가는 사람들의 모습 같은 건 곧 까맣게 잊어버리겠죠. 하지만 사실은 그것들조차도 나의 기억 속 어딘가에 남아있습니다. 그게 바로 무의식입니다.

무의식도 엄연히 나의 자아를 구성하는 일부이기 때문에, 무의식 속의 감정도 점점 커지거나 줄어들어 나의 감정 온도에 영향을 미칠 수 있습니다. 감정 호수의 크기 역시 의식과 무의식 모두에 기록된 경험에 의해 달라질 수 있지요.

그리고 우리의 무의식 속에 숨어 있는 대단히 몸집이 큰 감정이 하나 있습니다. '양반은 물에 빠져도 개헤엄은 안 친다'라는 속담을 들어보셨을 겁니다. 그 감정의 이름은 '체면'입니다. 예로부터 자신 혹은 집안의 체면을 지키는 것은 중요한 덕목이었고, 특히 사회적 체면을 중요하게 여겼습니다. 옷은 꼭 백화점에서 사야 하고, 집도 자동차도 이왕이면 커야 한다고 생각하는 사람들이 많습니다. 체면을 신경 쓰는 부모의 심리는 아이들에게도 영향을 줍니

다. 자식은 부모의 체면이기 때문에 친구의 자녀보다 공부를 더 잘
해야 하고, 좋은 대학에 진학하고 좋은 직장에 취직하여 부모의 자
랑이 되어야 합니다. 이 모두가 아이를 위한다는 명분이지만 사실
은 부모의 체면 때문인 경우가 매우 많습니다. 아이의 실제 능력보
다 높은 기준치를 설정하고 아이들을 압박합니다. 아이가 기준치
에 미치지 못하면 부모는 화를 내거나 실망하고, 그 감정은 고스란
히 아이에게 전달됩니다.

사실 저 역시 자식들에게 너무 많은 기대를 하며 알게 모르게 부
담을 주었습니다. 우리 아이가 왕자님, 공주님처럼 좋은 것만 보고,
좋은 일만 겪기를 바랐습니다. 운동은 류현진만큼, 영어는 원어민
만큼 잘하고 성격은 성인군자를 닮기를 바랐습니다. 아이들이 초
등학교에 다닐 때는 장차 적어도 검사나 판사 정도는 거뜬히 될 수
있으리라 생각했습니다.

하지만 고등학생이 되면서부터 아이가 부모의 기대와는 달라져
갔습니다. 성적은 하향 곡선을 그렸습니다. 아이의 얼굴에서 미소
가 사라지기 시작했고, 부모의 눈치만 살폈습니다. 집안 분위기는
무겁게 가라앉았고, 가족 모두에게 불안감이 퍼져 있었습니다. 우
리 아이가 나의 욕심과 체면 때문에 지쳐가고 있다는 것을, 우리
아이는 평범한 아이라는 것을 부모인 나만 모르고 있었습니다. 그

때는 몰랐습니다. 감정에 대해 성찰하면서, 사랑이라는 이름 뒤에 숨겨져 있는 나의 민낯은 욕심과 체면이었음을 알게 되었습니다. "욕심과 체면으로 똘똘 뭉친 아빠를 만나 너희들이 너무 고생한 걸 이제야 알게 되었단다. 아빠가 진심으로 미안해"라고 이제는 말할 수 있습니다. 이 글을 읽는 부모님들은 훗날 아이들에게 미안해하지 않으면 좋겠습니다. 욕심과 체면을 내려놓으면 나의 감정 온도가 내려갑니다. 우리 아이들이 행복해질 수 있습니다.

감정이 기억의 수명을
결정한다

우리에게 세상을 보는 시각이 생기는 이유는 지금까지 쌓인 경험과 기억 때문입니다. '감사'라는 시선으로 세상을 바라보는 사람은 평소 고마움을 느낀 경험이 많았을 테고, '분노'라는 시선으로 세상을 바라보는 사람은 화를 낸 기억이 많았을 겁니다. 즉, 나의 시선이 되는 핵심 감정은 뇌에 기록된 기억에 의해 결정됩니다.

따라서 감정을 좀 더 정확히 이해하기 위해서는 우리 뇌에서 벌어지는 '기억'의 현상에 대해 살펴봐야 합니다. 이번에는 '기억'이 무엇이며, 중요한 기억이 어떻게 감정이라는 여러 가지 색깔의 옷을 입게 되는지에 대하여 알아보겠습니다.

일단 '기억'이란 오감을 통해 실시간으로 나의 뇌로 들어오는 여러 가지 정보입니다. 지금 저는 카페에서 이 글을 쓰고 있습니다. 현재 창밖으로 보이는 풍경, 카페 내부 구조, 청소하는 직원, 눈앞에 보이는 탁자 같은 정보들이 복합적으로 뇌에 입력되고 있지요. 청각도 마찬가지입니다. 창밖으로 버스 지나가는 소리, 카페 안에 흐르는 음악 소리, 사람들의 발소리 등 끊임없이 수많은 청각 정보가 나의 뇌로 들어옵니다.

하지만 이렇게 오감을 통해 들어오는 모든 자극이 나의 뇌에 기억되는 것은 아닙니다. 이 중에서 내가 많은 주의를 기울이는 자극만 뇌의 깊은 곳으로 전달되고, 그렇지 않은 자극은 순식간에 사라집니다. 흔히 전자를 '장기 기억', 후자를 '단기 기억'이라 합니다. 그렇다면 어떤 자극이 나의 뇌 깊은 곳에 도달하여 저장되며, 어떤 자극이 그냥 사라지게 되는 걸까요?

바로 이 지점에서 감정의 역할이 중요합니다. 어떤 자극에 '주의'를 기울이게 만드는 힘이 우리 몸 안의 어딘가 있습니다. 얼마 전 '상상된 경계'라는 주제로 광주비엔날레가 열린 아시아문화전당에 다녀왔습니다. 작품을 감상하던 제가 한동안 발걸음을 뗄 수 없었던 곳은 북한 미술 전시 구역이었습니다. 특히 〈금강산〉이라는 작품에 완전히 압도되었습니다. 제가 그 작품에 유독 몰입하게 된 이유는 그 작품이 저의 감정과 만났기 때문입니다. 그날 감상한 수많은 작품 중 〈금강산〉이라는 작품처럼 많은 양의 감정을 발생시킨 자극은 나의 뇌 깊숙이 들어가 저장되고, 그렇지 않은 자극은 그대로 사라져버립니다.

즉, 들어오는 자극 중에서 감정을 얼마나 많이 발생시키느냐에 따라 장기 기억이 될지 단기 기억이 될지가 결정됩니다. 그 감정이 긍정적인 것인지 부정적인 것인지와는 상관없이 말이죠. 아래의 그림을 보겠습니다.

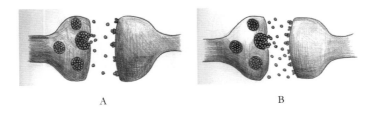

A   B

이 그림은 우리 뇌의 신경세포를 나타냅니다. 세포와 세포가 직접 연결된 것이 아니라 그 사이에 작은 강이 하나 놓여 있습니다. 이곳을 '시냅스'라고 하며, 자극이 다음 세포로 전달되기 위해서는 이 시냅스라는 강을 건너야 합니다. 그런데 자극이 이 강을 건너기 위해서는 일정한 조건이 필요합니다. 우리가 흔히 신경전달물

부모를 위한 감정의 온도

질이라고 하는 화학물질이 이 강에 많이 뿌려져 있어야 하지요. 신경전달물질에는 아세틸콜린, 글루탐산, 도파민, 세로토닌, 아드레날린, 코르티솔 등이 있습니다.

그림 A에서는 신경전달물질이 적게 배출되어 있고, 그림 B에서는 신경전달물질이 많이 배출되어 있습니다. 제가 <금강산>이라는 미술 작품을 접했을 때는 아마 두 그림 중 B의 상태였을 것으로 추측할 수 있지요. 뇌에 존재하는 신경세포들 사이에 많은 양의 신경전달물질이 배출되어 나의 뇌 속 어딘가에 <금강산>이라는 작품이 선명하게 저장되었을 것입니다. 비엔날레에서 보기는 했지만 기억에 남아있지 않은 다른 작품들을 볼 때는 신경전달물질이 매우 적게 배출되었던 셈입니다.

감정은 신경전달물질의 양을 조절해서 단기 기억으로 저장할지 장기 기억으로 저장할지 판가름합니다. 부정적 감정이든 긍정적 감정이든 감정의 양이 많으면 오랫동안 선명하게 남는 장기 기억이 되고, 감정의 양이 적으면 순식간에 사라져버리는 단기 기억이 됩니다. 다시 말해 중요한 기억에는 감정이 묻어 있습니다. 감정은 내가 살아가는 데 필요한 중요한 정보를 더 집중적으로 처리하고 잘 기억할 수 있도록 신경세포의 작동 방식을 조절합니다. 생존에 중요한 정보라고 판단되면 신경전달물질을 많이 배출시킵니다.

삶에 있어 중요한 정보는 무엇일까요? 사람마다 중요하게 생각하는 대상이 다르겠지만, 대개는 호기심을 크게 일으켰던 일, 기뻤던 일, 슬펐던 일, 두려웠던 일, 즐거웠던 일 등일 것입니다. 감정은 이런 일이 발생하면 신경전달물질을 동원하여 내가 되도록 어려움 없이 생존하도록 돕습니다. 우리는 매일 수많은 정보를 접하고 받아들이지만 오랫동안 기억하는 것은 그리 많지 않습니다. 아마 나의 감정이 중요도가 낮다고 판단했기 때문일 겁니다. 이처럼 감정은 내게 필요한 기억과 바람처럼 스쳐 가도 될 기억을 결정하는 중요한 역할을 합니다.

의식 돋보기로
감정을 바라보자

두려움은 희망 없이 있을 수 없고 희망은 두려움 없이 있을 수 없다
_바뤼흐 스피노자

주변을 돌아보면, 매사에 감사한 마음을 가지고 행복감을 느끼며 사는 사람보다는 불평하거나 힘들어하는 사람이 더 많은 듯합니다. 심리학에서 말하는 핵심 감정이 두려움, 화, 우울 등인 사람들이 많다는 것이지요. 두려움과 같은 감정은 오래전 원시 인류가 물려준 몸집 큰 감정이기 때문에 이는 당연한 일인지도 모릅니다. 두려움은 우리가 지닌 감정 가족 중 가장 큰 형님입니다. 하지만 우리는 두려움에 부정적 감정이라는 이름을 붙여 자꾸 억압하고 구박합니다.

《콩쥐 팥쥐》라는 전래동화가 있습니다. 착하고 예쁜 콩쥐가

계모와 이복동생 팥쥐에게 구박을 받는다는 내용입니다. 어쩌면 두려움이나 화는 콩쥐와 같은 감정일지도 모릅니다. 나의 생명을 지켜주고, 나를 발전시키는 착하고 예쁜 감정인데, 불행히도 나쁜 계모를 만나 늘 움츠러들고 기가 죽어 있는 것이죠. 부모님이나 선생님도 두려움은 사람에게 해로운 감정이라고 가르칩니다.

그런데 감정들은 모두 콩쥐처럼 고분고분하지 않습니다. 감정이 구박을 받으면 반항심이 생겨납니다. 두려움은 억누를수록 더 커집니다. 깊은 산속에서 맞닥뜨린 출렁다리 앞에서 온몸이 얼어붙었을 때는 '다른 사람들도 다 건너가는데, 뭐 하는 거야?'라고 스스로 채근해보지만 몸이 꼼짝도 하지 않습니다. 두려움은 억누를수록 더 커지기 때문입니다.

이럴 땐 어떻게 해야 할까요? 두려움을 사랑해야 합니다. 두려움을 사랑하는 것은 풀꽃을 살펴보는 것과 같습니다. '자세히 보아야 예쁘다. 오래 보아야 사랑스럽다'라는 나태주 시인의 이야기가 정답입니다. 두려움이 내 몸 어디에 있는지 자세히 보아야 합니다. 두려움이 내 몸에 어떻게 나타나는지 오랫동안 보아야 합니다.

두려움이 내 몸 어디에 있는지 자세히 보는 방법은 무엇일까요? 나의 의식이 동그란 모양의 돋보기가 되었다고 생각해보세요. 그런 다음 그 돋보기로 나의 신체를 자세히 살펴봅니다. 머리에서 시작해서 얼굴, 어깨, 가슴, 배, 다리 순으로 점차 아래로 내려갑니다. 의식이라는 돋보기로 두려움을 찾다 보면 어느새 두려움이라는 감정은 사라져버립니다. 화도 마찬가지입니다. 화가 날 때도 의식의 돋보기로 나의 신체를 들여다봅니다. 화가 어디에 숨어 있는지 찾아봅니다. 정수리에서 시작하여, 옆쪽, 앞쪽, 뒤쪽을 자세하게 들여다봅니다. 역시 화가 사라지는 것을 느낄 수 있습니다.

이렇게 질문하는 사람도 있겠죠. "아니, 화가 펄펄 나는데 언제 의식이라는 돋보기로 들여다볼 수 있겠어요?" 맞는 말입니다. '불편한 감정 찾기'는 평소에 긍정적인 마음가짐으로 연습을 해야 합니다. 차를 마시면서, 책을 보면서, 사람들과 대화를 하면서 느끼는 감정을 의식이라는 돋보기로 살펴보는 겁니다. 부정적 감정뿐만 아니라 기쁨 같은 감정도 내 몸 어디에 있는지 머리에서 다리까지 구석구석 돋보기로 살펴봅니다. 꼭 위에서 아래 순서가 아니어도 됩니다. 아래에서 위로 살펴보아도 되고, 가슴 여기저기를 살펴보아도 상관없습니다. 나의 감정이 숨어 있을 만한 곳이면 어디든 의식의 돋보기를 대어 보세요.

감정은 '말'로 주고
'되'로 받는다

지성이 아니라 감정이 결국 의견을 좌우하게 된다 _허버트 스펜서

의식이라는 돋보기로 감정을 찾는 것은 결국 머릿속으로 가상의 돋보기를 만들어 관찰하는 방법이기 때문에 논리적으로 납득하기 어려울 수도 있습니다. 10년 전쯤 명상 공부에 깊이 빠진 적이 있습니다. 하루는 명상 중에 아래쪽 배를 중심으로 긴 띠가 생겨나 있는 것을 발견했습니다. 이것을 논리나 과학으로 설명하기는 어렵겠지요. 감정 찾기도 마찬가지입니다. 의식의 돋보기로 신체 이곳저곳을 살피다 보면 '여기구나!'라는 느낌이 들 때가 있습니다. 역시 도저히 과학적으로 설명할 수 없지만 말입니다.

감정을 찾았다면 그 감정이 신체에 어떻게 작용하는지 느껴볼

부모를 위한 감정의 온도

차례입니다. 만져도 보고 눌러도 봅니다. 출렁다리 앞에서 몸이 얼어붙었을 때 의식의 돋보기로 들여다보니 두려움은 다리에 숨어 있었습니다. 두려움이 나의 생명을 지키기 위해 출렁다리를 건너지 못하도록 다리 근육이 풀리게끔 작동하고 있던 것이죠. 그렇다면 제 역할을 다하고 있는 두려움에게 다정하게 말을 걸어봅니다. "괜찮아. 위험하지 않아. 아이들도 쉽게 잘 건너잖아." 다시 천천히 몸의 상태를 느껴봅니다. 이전보다 훨씬 편안해졌습니다. 두려움이 고개를 숙였기 때문입니다. 다리에 힘이 생기기 시작합니다. 이제 출렁다리를 건너도 될 것 같습니다. 한 걸음씩 출렁다리 위로 발을 내디뎌봅니다. 결국, 출렁다리를 건너는 데 성공합니다.

'두려움, 화, 슬픔, 열등감 같은 감정들은 찾으려 하면 할수록 더 커지지 않을까?'라고 걱정을 하는 사람도 있습니다. 하지만 그건 기우에 불과합니다. 실제로 저의 권유로 이 방법을 사용해본 지인들은 생각보다 효과가 아주 좋다고 입을 모읍니다. 주변 교사 중에 유독 슬픈 감정에 빠져 힘들어하는 사람이 있었습니다. 특히 봄이 되면 새로운 의욕이 생기기는커녕 슬픈 마음을 주체할 수가 없답니다. 다음은 그 선생님과 나누었던 대화 내용입니다.

Q 왜 봄만 되면 슬퍼질까요? 꽃이 피는 걸 보면 기뻐야 하는데 슬퍼져요. 나무에 새잎이 돋는 것을 보아도 슬퍼져요. 종일 슬픔이 떠나지 않는 날도 있어요.

A 감수성이 뛰어나시군요. 저도 슬픔이라는 감정을 많이 느껴보고 싶은데.

Q 농담이 아니에요. 여자는 봄을 타고 남자는 가을을 탄다는데, 선생님도 그러신가요?

A 약간 그런 면은 있어요. 가을이 되면 우울해지고, 의욕이 사라져요.

Q 그럴 땐 어떻게 하세요?

A 슬픔이라는 감정이 얼굴을 내밀면 우선 보고 싶었다고 반갑게 인사해요. 다음엔, 그 슬픔이 내 몸 어디에 있는지 찾아보아요.

Q 어떻게요?

A 돋보기 있잖아요. 아이들이 꽃이나 벌레를 관찰할 때 쓰는 거. 내 의식이 돋보기라고 생각해요. 그 돋보기로 머리, 얼굴, 목, 어깨, 가슴 등의 순서로 비추어 보는 거예요. 단, 한 곳에서 2~3초 이상은 머물러야 해요. 이런 식으로 천천히 몸을 훑어가면서 슬픔이라는 감정이 어디에 숨어 있는지 살펴보면 됩니다.

Q 그러면 슬픈 감정이 사라지나요?

A 그럼요. 다는 아니지만 대부분 사라져요. 마음도 편안해지죠.

112

의식이라는 돋보기로 감정이 우리 몸 어디에 있는지 찾아보면 슬픔, 화, 두려움 등 불편한 감정이 사라지는 이유는 무엇일까요? 아래 그림을 통해 그 이유를 알아보겠습니다. 다음은 이성을 담당하는 전두엽과 감정을 담당하는 변연계의 신경세포 연결 모양을 간단하게 나타낸 그림입니다. 우리가 이전에 이야기했던 '감정 뇌'와 '생각 뇌'의 모습이지요. 변연계가 감정 뇌라면 전두엽은 생각 뇌입니다.

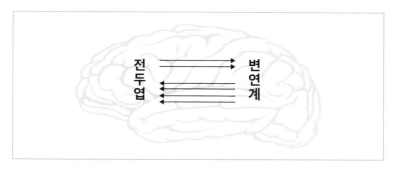

전두엽과 변연계의 신경세포 연결 모양

뇌과학자들의 연구에 의하면 감정 뇌에서 생각 뇌로 연결된 신경세포의 개수와 생각 뇌에서 감정 뇌로 연결된 신경세포의 개수는 다르다고 합니다. 감정 뇌에서 생각 뇌로 정보를 전달하는 신경세포의 개수에 비해, 생각 뇌에서 감정 뇌로 정보를 전달하는 신경세포의 개수가 적다는 이야기입니다. '되로 주고 말로 받는다'

는 속담이 있습니다. 정확한 수치로 말하자면 '되'는 1.8ℓ 정도이고 '말'은 18ℓ 정도이니 '말'은 '되'의 10배인 셈입니다. 쉽게 생각하면 생각 뇌와 감정 뇌의 관계는 '되로 주고 말로 받는' 관계입니다.

따라서 감정이 이성에게 더 큰 영향을 미친다고 볼 수 있습니다. 이성이 감정과 행동을 지배한다는 오래된 믿음이 뒤집혔습니다. 감정이 작용하면 이성은 금방 힘을 잃어버립니다. 아무리 미워하지 말자고 생각해도 미움을 사랑으로 바꾸기는 어렵지요. 생각 뇌는 감정 뇌에 금방 항복해버립니다. 감정이 내가 의도하는 대로 움직이지 않는 이유이기도 합니다.

그래서 감정 뇌가 점령한 상태에서 생각 뇌의 존재 가치를 되살리기 위해 감정을 돋보기로 들여다보아야 합니다. 생각 뇌의 영역을 차근차근 넓혀가는 것이지요. '되'가 10번이면 '말'이 되듯이 생각 뇌의 이성이 조금씩 커지기 시작하면 감정은 자연히 줄어듭니다. 생각 뇌의 주인인 이성의 힘을 키우기 위해서는 돋보기로 나의 감정을 자세히 그리고 오래 보아야 합니다. 200만 년의 역사를 가진 이성이 5억 년의 역사를 가진 감정을 이길 수 없습니다. 의식의 돋보기로 찬찬히 들여다보며 생각의 영역을 넓혀야 감정을 조율할 수 있습니다.

기억에 감정이
색칠된다

대구에 사는 어느 코로나19 확진 부부의 사연입니다. 멍하니 앉아

있는 어느 여자 환자에게 진료 봉사자가 "어디가 불편하세요?"라

고 물었습니다. 그 환자는 "가슴이 너무 답답해요"라고 대답했습

니다. 진료 봉사자는 코로나19 증상이라 판단하여 숨쉬기가 불편

하지 않은지, 통증은 없는지 계속 물었습니다. 그랬더니 그 환자는

이렇게 대답했습니다. "선생님, 그게 아니라 어제 제 남편이 세상

을 떠났습니다. 같은 병에 걸리고 나서 서로 다른 병원에 입원했는

데, 어제 그렇게 됐다는 연락을 받았습니다. 그때 이후로 계속 가슴

이 너무나도 답답해서 어떻게 할 수가 없습니다." 그 환자는 계속

말을 이었습니다. "시신을 화장하고 나면 다시는 남편의 얼굴을 볼

수도 없습니다. 병이 낫지 않아 장례식에 참석할 수도 없습니다. 이 기막힌 상황을 누구에게 하소연할 수 있겠습니까?" 이번 주 내내 이 환자의 이야기가 마음에서 떠나지 않았습니다.

감정의 이해는 다른 말로 표현하면 기억이 무엇인지 알아가는 것과 같습니다. 인생을 살면서 경험하는 모든 일에는 각기 다른 감정이 색칠되어 있습니다. 달리 말해 기억과 감정은 서로 떨어질 수 없는 한몸인 셈입니다. 기억과 감정이 어떤 관계인지 알기 위해서는 뇌의 구조를 살펴봐야 합니다.

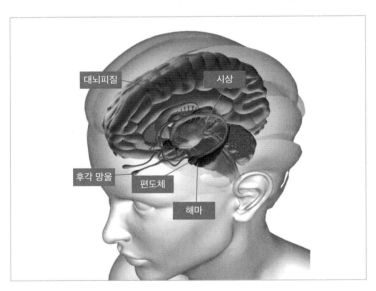

뇌의 구조

부모를 위한 감정의 온도

앞의 그림을 보면 뇌의 중심에 '시상'이 있습니다. 학교로 치면 시상은 교문과 같습니다. A 아파트에 사는 아이들이 교실로 들어가기 위해서는 교문을 거쳐야 합니다. B 아파트에 사는 아이들도 마찬가지며, 외부에서 오는 손님들도 교문을 거쳐야 행정실이나 교무실로 들어갈 수 있습니다. 이와 비슷하게 뇌에서도 눈, 귀 등 감각기관으로 들어온 정보가 뇌 속 깊은 곳으로 이동하기 위해서는 시상을 거칩니다. 아이들은 교문을 지난 뒤에 각자의 교실로 들어갑니다. 1학년 아이들은 1학년 교실로, 6학년 아이들은 6학년 교실로 이동합니다. 뇌에서도 외부에서 들어온 정보가 각자의 영역으로 이동하게 됩니다. 눈으로 들어온 정보는 시각을 처리하는 장소로, 귀로 들어온 정보는 청각을 처리하는 장소로 갑니다. 그렇게 이동한 장소를 '감각 영역'이라고 합니다.

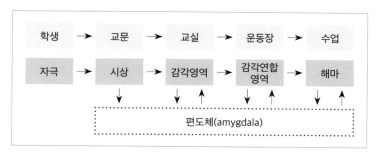

뇌의 정보 처리 과정

각자의 감각 영역에 도착한 정보들은 모두 '감각 연합 영역'에 모입니다. 감각 연합 영역을 학교에 비유하면 운동장입니다. 운동장은 각 교실에 있던 전체 학생들이 모이는 곳이니까요. 감각 연합 영역에 도착한 정보는 전두엽에 연결됩니다. 전두엽은 우리 뇌의 '사령탑'이라 불립니다. 전두엽에서는 지금 도착한 자극과 비슷한 정보가 나의 뇌에 기록되어 있는지 검사합니다. 만약 기록되어 있지 않다면 그 정보는 '해마'라는 뇌 영역으로 보내집니다. 해마를 학교에 비유하면 수업이라고 볼 수 있습니다. 수업을 통하여 배우고 익히듯이 해마는 기억을 담당합니다. 새로운 정보를 습득하여 기억하기 위해서는 반드시 해마를 거쳐야 합니다. 어제 나눈 친구와의 대화가 오늘 기억나는 이유도 해마 덕분입니다.

그런데 여기서 감정을 이해하기 위한 결정적인 단서가 발견됩니다. 앞의 도표를 보면 감각 영역에 도착한 정보는 편도체와 정보를 주고받습니다. 다르게 이야기하면 편도체는 어떤 자극이 감각 영역에 들어오는 걸 항상 지켜보고 있습니다. 마치 서치라이트가 사방을 비추듯이 편도체는 감각 영역에 도착한 정보를 샅샅이 살펴봅니다. 감각 연합 영역이나 해마도 편도체와 실시간으로 정보를 주고받습니다. 지금 이 순간 카페에 앉아 있다면 옆 테이블에 앉아

수다 떠는 여고생들 소리도, 흐르고 있는 클래식 음악도, 특유의 커피 향기도 편도체가 살펴보고 있습니다. 감각 영역, 감각 연합 영역, 해마와 편도체가 이처럼 유기적으로 연결되는 이유는 무엇일까요? 혹시 모를 위험이나 중요도를 파악하기 위함입니다. 편도체는 저장된 기억을 바탕으로, 위험한 일이 생겼을 때는 우리가 빨리 도망가거나 화를 내게 하는 한편, 중요한 사항은 기억하게 함으로써 어떤 상황에서든 무사히 생존하도록 돕습니다.

편도체에 대해 조금 더 알아보겠습니다. 편도체는 변연계에 존재하는 아몬드 모양의 뇌 부위로 감정을 유발하는 뇌 속의 핵심 기관입니다. 그렇기에 편도체가 손상된 생쥐는 잠자는 고양이의 귀를 물어뜯기도 합니다. 사람도 마찬가지입니다. 편도체가 손상된 사람은 뱀을 보아도 전혀 무서워하지 않고 심지어 만지기까지 합니다. 만약 우리에게 편도체가 없다면 어떤 일이 벌어질까요? 두려움이 사라져서 지나가는 자동차에 달려들거나 옥상에서 뛰어내릴 것입니다. 생각만 해도 끔찍한 일입니다.

편도체를 학교에 비유하면 교사와 같습니다. 교사는 아이들의 기분이 어떤지, 과제는 했는지, 건강은 양호한지 등 끊임없이 아이들의 상태를 살핍니다. 가정에 비유하면 부모입니다. 아기가 혼자 잘 놀고 있을 때조차 부모는 한순간도 방심할 수 없습니다. 눈으로 계속 살피면서 조금이라도 위험해 보이면 즉시 달려가지요.

편도체는 눈, 코, 귀 등 감각기관을 통하여 들어오는 정보를 교사나 부모처럼 모니터링합니다. 나의 생존에 위협적인지, 아니면 이로운지 끊임없이 확인합니다. 생명에 위험을 준다고 판단하면 즉시 우리 몸에 경보기를 울립니다. 고속도로에서 난폭하게 운전하는 차를 만나면 심장이 쿵쾅거리고, 손에서 땀이 나는 이유입니다.

그 외에도, 편도체는 전두엽과 연합하여 중요하다고 생각되는 정보들을 해마에서 기억하게 만드는 역할을 합니다. 공부할 때 몇 번 복습하느냐에 따라 시험 결과가 달라지는 이유는 편도체가 간섭하기 때문입니다. 여러 번 복습하면 편도체는 그 정보가 생존에 매우 중요한 사항이라고 판단합니다. 따라서 신경전달물질을 다량 배출시켜 해마에서 반드시 기억하도록 돕습니다. 이렇게 보면 우리의 모든 기억에 편도체가 간섭한다고 볼 수 있습니다. 다르게 이야기하면 모든 기억은 감정이라는 옷을 입고 있습니다. 감정과 기억은 한몸입니다.

부모를 위한 감정의 온도

불편한 감정을
사랑하자

멈춰서 두려움에 떨게 만드는 모든 경험을 통해
강인함, 용기, 자신감을 얻는다 _엘리너 루스벨트

내 안의 두려움과 분노를 들여다보고 오히려 토닥이며 사랑해주자는 이야기가 어찌 보면 비상식적으로 들릴 수도 있습니다. 저 역시 지금까지 불쾌한 감정은 극복하고 억제해야 할 대상으로 알고 살아왔으니까요. 생각이 바뀐 계기는 한 권의 책이었습니다. 미국 스키 선수 크리스틴 울머Kristen Ulmer가 쓴 《두려움의 기술》이라는 책입니다. 저자는 두려움에 대한 새로운 시각을 제시하며, 극복의 대상이 아니라 사랑의 대상이라고 강조합니다. 생각해보면 정말 두려움은 우리에게 꼭 필요한 감정이 맞습니다. 두려움이 없다면 높은 나무 꼭대기까지 오르다가 떨어질 수도 있고, 달리는 자동차에도 위협을 느끼지 못할 겁니다.

그러나 우리는 두려움, 분노, 우울감 등을 '부정적 감정'이라 부릅니다. '부정적否定的'의 사전적 의미는 '올바르지 아니하거나 옳지 못한'입니다. 따라서 부정적 감정은 올바르지 아니한 감정이라는 말이 됩니다. 무엇인가 크게 잘못되었습니다. 나의 생명을 지켜주었고, 새로운 목표를 향해 나아갈 수 있는 용기를 주었던 감정들을 올바르지 않은 감정이라고 지금까지 간주해왔습니다. 없어져야 할 감정, 싸워야 할 적으로 생각했습니다. 집에서도 학교에서도 그렇게 가르쳤습니다. 아이가 화를 내면 엄마는 무조건 참으라고 하고, 학교에서는 '별것 아닌 일에 화를 잘 내는, 성격에 문제가 있는 아이'로 간주해버립니다.

어쩌면 최근 ADHD나 분노조절장애를 겪는 아이들의 증가도 이와 관련이 있을지 모릅니다. 우리나라 청소년은 11년째 '자살'로 가장 많이 사망하고 있습니다. 중·고등학생의 경우 넷 중 한 명이 일상생활을 꾸려나가지 못할 정도의 우울감을 느낀다는 발표가 있습니다. 우리가 부정적이라 이름 붙인 감정들을 학대하고 억압한 결과입니다. 또 나를 구성하고 있는 434명의 감정 가족 중에서 일부만 사랑한 결과이기도 합니다. 우리가 이제껏 사랑해온 감정 가족은 기쁨, 희망, 믿음, 사랑, 감사 등 긍정적 감정뿐이었습니다.

'긍정적^{肯定的}'이라는 단어는 '바람직하거나 옳은'이라는 뜻입니다. 지금까지 기쁨, 희망, 믿음, 사랑, 감사 등의 감정만 옳은 감정으로 여겨온 것입니다.

• • •

이제 부정적 감정에 대한 태도도 달라져야 합니다. 어떻게 하면 부정적 감정을 사랑할 수 있을까요? 사랑의 시작은 호기심입니다. 누군가를 향한 호기심은 관심으로 발전하곤 합니다. 관심이 호감을 낳고 어느덧 사랑이 시작됩니다. 상대의 목소리만 들어도 기분이 좋아지고, 생각만 해도 가슴이 떨립니다. 부정적 감정에 대해서도 우선 호기심을 가지고 접근해보면 어떨까요?

부정적 감정이 얼굴을 내밀면 의식이라는 돋보기로 자세히 들여다봅니다. 점차 부정적 감정에 관심을 갖게 되고, 이것이 호감을 낳습니다. 그러면 오늘 무슨 일을 했느냐고 질문을 던져봐도 좋습니다. 부정적 감정은 "난 너의 생명을 지켰고, 오늘의 너를 있게 했어"라고 대답할 겁니다. 조금 더 깊은 대화를 시작합니다. 그동안 강제로 억눌러서 미안하고, 나를 지켜주고 여기까지 성장시켜주어서 고맙다고 화해의 손길을 건넵니다. 앞으로 다시 만나게 되면 다정히 말을 걸겠다고 약속해봅니다.

이제 부정적 감정도 사랑할 수 있게 됐습니다. '화'라는 감정이 느껴지면 이렇게 말을 걸어 보세요. "나에게 무엇을 가르쳐주려고 나타났을까?" 잠시 기다리면 답을 얻을 수 있습니다. '우울'이라는 감정이 등장하면 이렇게 질문하는 겁니다. "내가 어떻게 행동하면 좋을까?" 역시 한참 후에 답을 합니다. '불안'이라는 감정이 나타나면 이렇게 토닥여줍니다. "괜찮아! 아무 일도 아니야!" 불안이 연기처럼 사라집니다.

부모를 위한 감정의 온도

힘든 감정을
토닥이자

글을 쓸 때는 모든 것을 내려놓아라. 당신의 내면을 표현하기 위해 단순한 단어들로
단순하게 시작하려고 노력해라 _나탈리 골드버그

나를 힘들게 하는 감정일지라도 찬찬히 살펴보고 대화를 시도하다 보면 대부분 언제 그랬냐는 듯 사라집니다. 하버드대학의 테일러 박사Jill Taylor는 부정적인 생각이나 감정의 자연적 수명은 90초에 지나지 않으며, 마치 아기를 달래듯이 조용히 지켜보기만 하면 없어진다고 이야기합니다. 정말 맞습니다. 불편한 감정들이 등장했을 때 신체가 어떤 반응을 나타내는지 마치 돋보기로 관찰하듯 살펴보고 토닥거려주면 화, 우울, 두려움 등이 눈 녹듯이 사라집니다. 하지만 아무리 살펴보고 토닥여도 사라지지 않을 때가 있습니다. 해결하기 어려운 심각한 문제에 부딪힌 경우입니다. 친구와의

갈등, 상사의 막말, 가족 간의 불화 등이 대표적입니다. 이럴 때의 불편한 감정은 꽤 오래 지속되곤 합니다. 부정적 감정의 확장은 내가 건강하게 살아가는 데 큰 위협을 느낀다는 뜻입니다.

이럴 때는 어떻게 해야 할까요? 편지를 써야 합니다. 감정이 크게 파도치면 편지를 씁니다. 심각하지 않다고, 별일 아니라고 얘기해주는 거죠. 편지는 신비한 효과가 있습니다. 같은 내용이라도 말보다는 글이 훨씬 와닿을 때가 많습니다. 감정이나 생각이 분명하게 그려지기 때문입니다. 감정이 파도칠 때 편지를 써보면 마음이 불편한 이유가 명확하게 드러납니다. 내가 잘못 생각하고 있는 게 무엇인지, 염려해야 할 것과 그럴 필요가 없는 것이 무엇인지 알수 있습니다. 머리가 맑아지면서 불편했던 감정들이 어느 순간 사라집니다. 편지를 쓰는 행위는 생각 뇌의 역할을 증대시킵니다. 감정이라는 큰 파도를 일으킨 감정 뇌의 역할을 줄이고, 생각 뇌의 현명한 대답을 기다리는 것입니다.

저도 감정이 크게 파도칠 때면 스마트폰의 메모장을 열어 편지를 씁니다. 일명 '불편한 감정과의 연애편지'입니다. 불편한 감정과 인사를 나누면서 걱정거리, 고마움, 하고 싶은 일 등을 자유롭게 털어놓습니다. 어떤 경우에는 한두 줄, 많을 때는 서너 줄, 가끔 장문의 편지가 되기도 합니다. 예를 들어 친구와 갈등이 있다면

부모를 위한 감정의 온도

"친구가 돈을 빌려달라고 하는데 어떻게 하면 좋겠니?", "○○의 행동이 맘에 들지 않아. 미워해도 될까?" 이런 식입니다.

> 오늘도 나를 찾아왔구나. 내가 그렇게 보고 싶었어? 앞으로는 자주 나타나지 마. 괴롭고 힘들어. ○○의 행동이 갈수록 나를 불편하게 만들어. 어떻게 하면 좋겠어?

그러면 감정이 이렇게 대답합니다.

> 나도 너를 찾아오기 싫거든. 별일도 아닌데 네가 자꾸 부르잖아. 내가 나타나면 너만 힘들잖아. 맘 좀 크게 써라. 특별히 오늘 ○○의 행동 때문에 그런 건 아니야. 그동안 미움이 차곡차곡 쌓인 거지. 대신에 조금만 미워하자.

연애편지는 받는 사람뿐만 아니라 쓰는 사람도 상대방에 대한 사랑이 더 깊어지게 만듭니다. 마찬가지로 감정 가족에게 편지를 쓰면 신기한 일이 발생합니다. 불편했던 감정이 사라집니다. 편지를 쓰는 동안 화, 미움, 슬픔 등이 어디론가 가버립니다. 대신 그 자리에는 상대방에 대한 미안함이 남습니다. 미워해서 미안해지고, 화내서 미안해집니다. 생각 뇌가 감정 뇌를 토닥이는 순간, 감정 뇌는 배려, 감사, 희망 등 유쾌한 감정을 출현시킵니다. 마음이 편해지면서 몸에는 새로운 에너지가 솟아납니다. 힘들었던 몸과 마음이 어느새 편안해지는 걸 느낄 수 있습니다.

불편한 감정 가족에게만 편지를 쓰면 안 됩니다. 몸과 마음이 지치면 유쾌한 느낌의 감정 가족에게 편지를 써서 위로를 받아야 합니다. 이럴 때는 희망, 용기, 믿음이라는 유쾌한 감정을 등장시킵니다. 한 가지 감정 가족을 콕 찍어서 편지를 쓰면 더 효과적입니다.

용기에게
오늘도 너의 도움이 필요하단다.
자주 오라고 해서 미안해.
새벽부터 카페에 앉아 있었어. 글을 쓰기 위해서 말이야.
그런데 멍하니 앉아만 있네. 어떻게 하면 좋을까?
가방 싸서 집에 갈까? 아니면 더 버텨볼까?
생각들을 잘 정리해서 멋진 글을 쓸 수 있게 해주면 좋겠다.

부모를 위한 감정의 온도

감정에도 진통제가
필요하다

감정, 고통스러운 감정은 우리가 그것을 명확하고 확실하게 묘사하는
바로 그 순간에 고통이기를 멈춘다 _바뤼흐 스피노자

감정 가족에게 편지를 쓰다 보면 재미있는 현상이 벌어집니다. 불편한 감정이 빨리 나타나주기를 바라게 됩니다. 그 감정을 관찰하고자 하는 욕구가 강해지기 때문입니다. 하지만 기다릴수록 불편한 감정은 어쩐지 쉽게 나타나지 않습니다. 왜일까요? 공포영화를 보고 나서 자꾸 무서운 장면이 떠올랐던 경험이 있으실 겁니다. 잠자리에 누워 잊으려고 노력할수록 그 장면은 더 또렷해지기만 합니다. 다이어트를 하기로 결심하면 평소에 잘 먹지 않던 음식까지 떠오르며 식욕이 더 강해집니다. 특정한 생각을 의도적으로 억누르면 오히려 정반대의 결과가 나타납니다.

마찬가지로 불편한 감정을 억누르면 더 크고 강해지지만, 순응하면 오히려 나타나지 않습니다. "아, 나에게 화가 나타났구나. 살펴봐야지"라고 생각하면 화는 어느새 사라집니다. 반면 "지긋지긋한 우울은 언제 사라질까"라고 떨쳐내려 애쓰면 우울감이 더 심해집니다. 사회과학자들에 의하면 사람의 마음은 어떤 행동을 금지하면 오히려 저항이 더 커진다고 합니다. 우리가 부정적이라고 이름 붙인 감정 가족의 행동을 억제하면 할수록 더 두드러지게 나타나는 이유입니다. 그 감정들을 다독여주고, 돋보기로 확대해서 바라보고, 편지로 쓰는 것은 불쾌한 느낌의 감정조차 가족으로 받아들이는 일입니다. 그들의 눈으로 바라보고 순응해야 합니다. 바로 부모와 아이의 감정 온도를 낮추는 핵심입니다.

하지만 아무리 맛있는 음식도 먹어보지 않으면 맛을 모르듯이, 직접 그 경험을 해보지 않으면 의미가 와닿지 않습니다. 철학자 니체의 저서 《차라투스트라는 이렇게 말했다》에는 다음과 같은 구절이 있습니다.

모든 책 중에서 나는 오직 피로 쓴 책만을 사랑한다. 그러니 책을 쓰려거든 반드시 피로 써야 한다. 그러면 그대는 알게 될 것이다. 피가 곧 정신이라는 사실을… (중략) 그런데 다른 사람의 피를 이해

부모를 위한 감정의 온도

한다는 것은, 결코 쉬운 일이 아니다. 그래서 나는 직접 체험하지 않으면서, 그저 습관적으로 책만 읽는 게으름뱅이를 미워한다.

니체의 말처럼 이 책에서 제시한 감정 다스리기 방법들을 실천해 보면 도저히 언어로 설명할 수 없는 귀중한 경험을 얻게 되리라 확신합니다. 이 같은 경험이 반복될수록 그 효과도 증대될 것입니다.

● ● ●

감정 찾기, 토닥이기, 편지 쓰기는 감정에 작용하는 진통제입니다. 우리가 몸이 아프거나 다치면 먹는 진통제는 어떻게 통증을 줄여주는 걸까요? 사람이나 동물은 신경을 통해 통증을 느낍니다. 신경은 크게 중추신경계와 말초신경계로 구성되어 있습니다. 중추신경계는 뇌와 척수를 가리키고, 말초신경계는 뇌나 척수에서 나와 온몸에 나뭇가지 모양으로 분포하는 신경을 가리킵니다. 말초신경계는 외부 자극을 중추신경계에 전달하거나 중추신경계에서 전해오는 명령을 근육 등 각 기관에 전달하는 역할을 합니다. 두 신경계의 정보 교류는 일종의 전기신호를 통해 이루어집니다. 예를 들어 손톱을 다쳤다는 정보는 말초에서 전기신호로 변환됩니다. 이 전기신호가 척수를 지나 뇌에 도착합니다. 뇌에서는 즉시 분석 작업이 이루어지고, 열이나 통증 등으로 경고를 보냅니다. 진통제는 손톱의 말초신경을 차단하여 뇌에 정보가 유입되지 않게 합니다.

그런데 뇌에서 보내는 전기신호의 속도는 상황에 따라 달라집니다. 전기신호가 뇌의 신경을 지나면서 어떤 자극에는 빠르게, 어떤 자극에는 느리게 반응하는데 이를 '뇌파'라고 합니다. 뇌파의 파장은 기본적으로 0~30Hz의 주파수를 갖습니다. Hz 수치가 낮으면 뇌에서 보내는 전기신호의 속도도 느려지고, Hz 수치가 높으면 전기신호의 속도도 빨라집니다.

전쟁을 앞둔 병사들의 뇌파는 어떨까요? 아마 30Hz 이상으로 빠르게 움직일 것입니다. 극도로 흥분하거나 각성하면 Hz의 수치가 올라갑니다. 우리가 화를 낼 때의 뇌 상태라고 보면 됩니다. 두려움, 분노, 불안 등의 감정 상태일 때도 마찬가지입니다.

감정이 불편할 때 감정 찾기, 토닥이기, 편지 쓰기 같은 활동을 하면 뇌파의 움직임이 바뀝니다. 생각 뇌의 전두엽이 생명에 큰 해가 없다고, 별일 아니라고 감정 뇌를 토닥여줍니다. 그렇게 감정 뇌를 안정시키면 흥분과 각성의 정도가 낮아지면서 뇌파의 속도가 떨어집니다. 통증을 잊기 위해서 진통제를 먹거나 맞듯이, 흥분

부모를 위한 감정의 온도

과 각성의 정도가 심해지면 감정 진통제가 필요합니다.

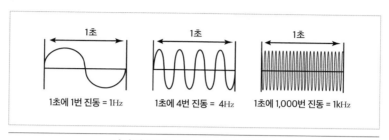

뇌파의 주파수가 느릴 때와 빠를 때

감정 주파수를
30Hz 이하로 낮추자

하루 열두 번의 포옹. 우리에게 필요한 것은 바로 그것이다. 신체적으로는 말할 것도
없고 말이나 눈으로, 혹은 분위기로도 포옹해줄 수 있다 _스티븐 코비

학교에서 분노를 다스리지 못하고, 물건을 집어던지며 친구들과
싸우는 아이들의 뇌파는 30Hz에 가깝습니다. 물론 큰 소리로 싸우
는 어른들도 마찬가지겠지요. 살다 보면 심한 열등감이 몰려오는
날이 있습니다. '저 사람은 벌써 집을 샀는데 난 언제쯤 살 수 있
지?', '옆집 아들은 좋은 직장에 들어갔다는데 내 아이는 왜 아직도
취직을 못 하지?' 남과 비교하며 불안해하거나 긴장할 때 우리 뇌
파의 속도는 13~30Hz 사이입니다. 감정 온도를 낮춘다는 것의 정
확한 의미는 뇌파 속도의 감소를 말합니다.

　뇌파를 어느 정도 속도까지 떨어뜨려야 감정이 안정될까요? 학

부모를 위한 감정의 온도

자들은 8~13Hz 사이라고 설명합니다. 일명 '알파파'입니다. 뇌파가 이 속도를 유지하면 불안이나 화 같은 감정이 사라지고 마음이 평온해집니다. 근육은 긴장이 풀리면서 이완되고, 사소한 일로 놀라거나 흥분하지 않습니다. 집중력이 높아지므로 기억을 잘할 수 있고, 매사에 자신감이 높아집니다. 뇌파가 4~8Hz이면 졸린 상태가 되며, 8Hz 아래로 떨어지면 무기력해지거나 잠이 들게 됩니다.

감정 찾기, 토닥이기, 편지 쓰기 외에 뇌파의 속도를 떨어뜨리는 또 다른 방법은 뭐가 있을까요? 알파파를 만드는 데 효과적인 방법의 하나는 명상입니다. 개인적으로는 '한 점 응시하기'라는 명상 방법을 추천합니다. 학교에서 아이들의 집중력을 높이기 위해서 많이 사용해본 방법입니다. A4용지에 지름 10cm 정도의 까만 원을 그려 칠판에 붙입니다. 이때 원은 더 커도 되고 작아도 됩니다. 아이들은 바른 자세로 앉아 눈을 뜨고 까만 점을 응시합니다. 이때 물 흐르는 소리 같은 자연의 소리를 들려주면 더 좋습니다. 1분 정도 지나면 까만 점이 크거나 작게 보이기도 하고, 때로는 다른 색깔로 보이기도 합니다. 사람마다 그 특징이 여러 가지로 나타납니다.

집이라면 팔을 앞으로 뻗은 지점에서 10cm 정도 더 떨어진 방바닥에 마음속으로 한 점을 그려놓습니다. 눈을 뜨고 그 점만을 응시합니다. 다른 생각이 들려고 하면 재빨리 그 점으로 돌아옵니다.

이와 비슷한 방법으로 시곗바늘에 집중하는 방법도 있습니다. 눈을 뜨고 시침이나 분침을 응시합니다. 분침은 1분 동안 미세하게 이동합니다. 그 미세한 움직임을 찾아내는 활동입니다. 의외로 아이들의 집중력이 높아지면서 참여도도 높은 활동입니다.

● ● ●

이런 활동이 뇌파의 속도를 떨어뜨리는 이유는 생각을 중단시키기 때문입니다. 반대로 미움, 질투, 열등감 같은 혼란스러운 생각들은 뇌파의 속도를 올립니다. 하지만 우리 뇌는 생각을 중단하려고 하면 더 생각나도록 만듭니다. 그래서 한 가지에 집중하며 생각을 잠시 차단해보는 것입니다. 직장 동료에게 상처가 되는 말을 들었다면, 꽃을 보면서 불편한 마음이 사라질 때까지 집중해봅니다. 동료에 대한 생각이 떠오르려고 하면 재빨리 꽃으로 돌아와 다시 집중합니다. 어느새 불편한 감정이 사라집니다. 이것이 명상입니다.

다른 요소를 이용해 뇌파의 속도를 떨어뜨려볼 수도 있습니다. 아이가 흥분하면 따뜻한 물 한 잔을 먹이고 대화를 시도해보세요. 과학적으로 따뜻한 물 한 잔은 혈액을 순환시켜 스트레스를 감소시킵니다. 마음이 안정되면 엄마나 선생님의 이야기에 더 귀 기울

부모를 위한 감정의 온도

일 것입니다. 비슷한 원리로 '두 손을 잡고 대화하기'도 좋습니다. 아이의 두 손을 잡아주면 긴장하여 빨라졌던 뇌파의 속도가 떨어집니다. '엄마 손은 약손'이라는 말도 같은 원리입니다. 엄마 손의 온기가 아이의 차가운 아랫배에 닿으면 장기를 진정시켜 통증이 사라지는 효과이지요. '사랑 확인 이론'으로 유명한 동물학자 모리스Desmond Morris는 사람이 서로의 사랑을 확인하는 방법이 동물끼리 하는 털 손질 행위에서 발전하였다고 주장합니다. 다르게 말하면 사람은 서로의 몸을 손질해주면서 사랑한다는 감정을 뇌에 전달합니다. 아이에게 따뜻한 물 한 잔을 건네고, 두 손을 잡아주는 것은 서로의 몸을 손질해주는 행위입니다. 이 역시 아이와 엄마의 감정 온도를 낮추는 방법입니다.

2부

아이를 위한
감정의 온도

Chapter 1

아이가 세상을
보는 눈

아이의 불안은
무력감으로 이어진다

서두르지 마라. 걱정하지 마라. 이 세상에 당신은 짧은 여행을 온 것이다.
잠시만이라도 멈춰 서서 장미꽃 향기를 맡아보라 _월터 하겐

"아이가 손가락을 빨거나 손톱을 자주 물어뜯어요"라는 엄마들의
하소연을 자주 듣습니다. 대개 유아기에 많이 보이는 행동이지만
종종 초등학생 중에도 그런 아이들이 있습니다. 그런데 손톱을 자
주 물어뜯는 아이를 잘 관찰해보면 다른 이상 행동도 보입니다. 다
리를 떨거나 몸을 심하게 움직입니다. 그런 아이의 얼굴은 불안으
로 가득합니다. 아이가 받는 스트레스 때문입니다. 아이들은 엄마
젖을 빨 때 편안함을 느낍니다. 손톱을 물어뜯는 행위도 불안한 마
음을 입으로 달래보려는 행동이라고 볼 수 있습니다. 불안한 유아
들이 손톱을 물어뜯는 것처럼 요즘 초등학생들의 거친 행동의 밑

아이를 위한 감정의 온도

바닥에는 불안이 숨겨져 있습니다.

'불안'이란 말 그대로 '불편한 감정'입니다. 마음이 조마조마하고 걱정이 많다는 거지요. 불안은 생명과 안전을 지키기 위한 수단으로 적응해온 감정입니다. 산길을 홀로 걸어가면 두렵습니다. 바스락거리는 소리만 들려도 혹시 멧돼지가 나타난 게 아닐까 싶어 가슴이 철렁합니다. 눈으로 주변을 샅샅이 살피면서 만일의 사태에 대비합니다. 만약 멧돼지가 나타나면 도망을 가거나 맞서 싸울 수 있도록 팔과 다리의 근육으로 에너지가 모이며, 심장 박동이 빨라져 호흡이 거칠어집니다.

우리는 미세먼지가 심한 날이면 마스크를 쓰고 외출하며, 일을 마치면 헬스장으로 향합니다. 건강에 대한 불안 때문입니다. 보험에 가입하고 저축을 하거나 자격증 시험에 대비하는 것 역시 미래에 대한 불안 때문이지요. 아이를 피아노 학원에 보내고 영어 학원에도 보내는 건 아이에 대한 엄마의 불안 때문일 겁니다. 아이들은 엄마에게 꾸중을 들을지도 모른다는 불안 때문에 피곤해도 숙제를 하며, 게임을 하고 싶은 마음을 억누릅니다. 친구를 잃을까봐 불안해 친구들과 하기 싫은 놀이도 같이 하며 맛있는 걸 나누어 먹습니다. 적당한 불안은 다가올 위험을 사전에 막거나 대비할 수 있도록 도와주는 셈입니다.

이러한 막연한 불안에 명확한 위험 요소가 더해지면 두려움이라는 감정으로 변합니다. 가장 대표적인 예가 요즘에 유행하는 코로나바이러스입니다. 중국에서 코로나바이러스가 발생했을 때 우리나라 사람들은 그다지 불안해하지 않았습니다. 하지만 중국에서 사망자가 늘고 우리나라에서도 확진자가 발생하자 사람들의 불안감이 눈덩이처럼 커졌습니다. 외출을 자제하기 시작했고, 마스크를 착용하지 않은 사람을 구경하기 힘듭니다. 모든 사적·공적 모임은 자제하게 되었고, 문을 닫는 회사가 늘고 있습니다. 코로나바이러스에 대한 두려움이 들불처럼 번지고 있습니다.

불안과 두려움이 증가하면 어느덧 무력감이라는 감정으로 이어집니다. 무력감은 내가 무슨 행동을 하든 아무 소용이 없음을 알았을 때의 허탈하고 맥빠지는 느낌입니다. 수업 시간에 책상에 엎드려 잠자는 중·고등학생들이 무력감을 보이는 대표적인 예입니다. 요즘에는 초등학생 중에도 그런 학생이 있다고 합니다. 맹수가 나타났는데도 달아날 생각을 하지 않는 사슴을 TV에서 본 적이 있습니다. 사슴은 자신이 어떤 노력을 해도 살아남을 수 없다는 걸 알기 때문에 더 이상 저항하지 않고 체념한 것입니다. 사나운 맹수 앞에서 사슴이 느끼는 감정이 바로 무력감입니다. 어쩌면 우리 사회가 맹수이고, 우리 아이들이 사슴인 것은 아닐까요?

아이를 위한 감정의 온도

화를 내는 것은
'너랑 잘 지내고 싶어'라는 뜻

우리는 자신에게 물어봐야 한다. 내가 더 원하는 것이 싸움에서 얻는 이득인지,
아니면 깊이 사랑하는 관계에서 느끼는 만족감인지 말이다 _데이비드 번즈

유채꽃이 만발한 계절, 어느 선생님의 제안으로 꽃 관찰용 돋보기
를 샀습니다. 아이들은 돋보기를 하나씩 들고 교정 곳곳에 숨어 있
는 꽃을 찾아 나섰습니다. 유채꽃은 멀리서 보면 그저 노란색 꽃이
지만 가까이서 확대해 살펴보면 배 모양의 꽃받침 네 개와 주걱 모
양의 꽃잎 네 장이 달려 있습니다. 꽃잎 안에는 암술 한 개가 한가
운데에 자리 잡고 있고, 그 주위로 수술 여섯 개가 보입니다. 꽃을
돋보기로 바라보면 그 본질도 달라지는 듯합니다.

우리가 매일 경험하는 감정도 마찬가지입니다. 예를 들어 화가
난 사람의 얼굴을 보면 잔뜩 찌푸린 표정에 콧구멍이 벌어져 있고

입을 앙다물고 있습니다. 하지만 '화'의 진짜 얼굴을 보기 위해서는 표정 뒤에 감추어진 감정의 본질을 보아야 합니다. 돋보기로 꽃을 보듯 사람의 감정을 확대해서 보면 화의 진짜 얼굴을 찾을 수 있습니다. 감정을 돋보기로 어떻게 확대할 수 있을까요? 감정이 진화를 통한 유전자의 산물이라고 가정했을 때, 진화 과정에서 감정이 어떻게 생겨났고 왜 나타났는지를 하나씩 추론해보면 됩니다.

그렇다면 '화'라는 감정에 돋보기를 가져다 댄 다음 그 출발점으로 되돌아가 보겠습니다. 인류의 조상은 수백만 년 동안 10명 남짓한 공동체를 이루어 살았다고 합니다. 10명이 훨씬 넘는 공동체를 이루어 산 건 이성이 발달하기 시작한 시기와 일치하는 최근 약 1만 년 정도입니다. 그러니 10명 이내의 공동체에서 보낸 시간이 훨씬 더 긴 인류의 유전자는, 다른 사람과 관계를 맺을 때 아직도 당시의 양식을 차용하고 있습니다.

인류가 10명 정도의 공동체를 구성해 살면서 느꼈을 가장 큰 이점은 숲속에서 사나운 동물과 마주쳐도 서로 힘을 합쳐 이겨낼 수 있었던 것입니다. 아마 맹수들의 유전자에도 여러 사람이 모여 있는 곳에는 접근하지 말라고 기록되어 있을지도 모릅니다. 10명 정도의 구성원은 동물을 사냥하여 나누어 먹기에도 적합한 규모였습니다.

아이를 위한 감정의 온도

반대로 말하면 이 공동체에서의 이탈은 곧 죽음을 의미합니다. 혼자서 숲을 지나다 맹수를 만나면 누군가의 도움 없이는 살아남기 어렵습니다. 그래서 인류는 공동체에서 소외되지 않는 방향, 즉 연대감을 높이는 방향으로 생존 확률을 높여왔습니다. 연대감을 중요하게 여겼던 유전자의 흔적은 지금도 생생하게 남아있습니다. 처음 만난 사이라도 대화 도중에 같은 지역이나 학교 출신이라는 걸 알게 되면 바로 친근함을 느낍니다. 친구, 가족, 지연, 학연, 조직, SNS 등을 통한 연대감으로 무장하여 오늘을 살아가고 있지요. 인류의 먼 조상으로부터 전해져온 '연대감'이 오늘날 우리의 생활 전체에 스며들어 있는 셈입니다. 그리고 이 연대감이 상실되었을 때 바로 '화'라는 감정이 나타납니다.

● ● ●

건우라는 아이 이야기로 되돌아가 보겠습니다. 화가 나서 씩씩대는 건우에게 다가가 물었습니다. "왜 친구에게 화를 냈니?" 건우는 이렇게 대답합니다. "쟤가 먼저 밀쳤어요." 건우의 감정을 돋보기로 확대해보면 어떨까요? 친구가 먼저 밀쳤다는 말에는 그 친구와 잘 지내고 싶다는 숨은 뜻이 담겨 있습니다. 그 친구와 잘 지내고 싶은데 자신을 공동체에서 밀어내는 느낌을 받았다는 뜻이죠. 그런 느낌을 받는 순간 소규모 공동체를 구성하며 살았던 우리의 유전자는 즉시 경보 발령을 내립니다. 그 유전자는 우리 뇌의 신경 세포에 숨어서 이렇게 이야기합니다. '저 친구가 나를 공동체에서 밀어내려 해. 나의 생존이 위험해.'

생존에 위협을 느끼면 우리의 뇌는 자연스럽게 '화'라는 감정을 동원합니다. 결국, 화의 진짜 얼굴은 '너랑 잘 지내고 싶다'라고 봐야 합니다. 부부 사이의 갈등도 마찬가지입니다. 부부싸움을 하는 근본적인 이유는 서로 잘 지내고 싶은데, 그 눈높이가 맞지 않아서입니다. 어느 시인의 말처럼 나의 사랑 전압은 100V이지만 상대방의 사랑 전압은 50V이기 때문입니다. 이 차이가 서운한 마음이 들게 하고 '화'라는 감정을 만들어냅니다.

가정과 학교는 물론 여기저기에 화가 난 사람들이 가득합니다. 서로에게 화를 내는 이유는 잘 지내고 싶은데 그러지 못해서입니다. 배우자, 친구, 선생님 등 잘 지내고 싶은 사람과의 관계가 틀어지면 조상이 물려준 나의 유전자는 생명의 위협을 느낍니다. 불안과 두려움이 밀물처럼 몰려옵니다. 이 밀물이 점점 커지면 나의 생명을 지키기 위하여 '화'라는 감정으로 변합니다. 이것이 화의 진짜 모습입니다.

아이를 위한 감정의 온도

생존을 위해 탄생한
두려움

물론 '너랑 잘 지내고 싶어'가 돋보기로 확대한 화의 모습 전부는
아닙니다. 앞서 다룬 내용은 대부분 가정이나 학교에서 나타나는
화의 본질과 그 원인입니다. 만약 길거리에서 모르는 사람에게 따
귀를 맞았다면 이때 나타나는 화의 얼굴은 전혀 다르겠지요. 이런
경우에 나를 보호하기 위해서, 나의 영역을 지키기 위해서 등장하
는 감정이 있습니다. 부정적 감정에 속하는 수많은 감정 중에서도
특히 '불쾌감'이 발현됩니다. 사전에는 불쾌감이 '언짢거나 속이
상한 느낌'으로 풀이되어있습니다. 이러한 불쾌감에서 시작된 감
정이 불안, 두려움, 혐오, 분노, 무력감, 수치심 등입니다.

아프리카 사바나 같은 환경에서 살았던 시절의 유전자 기록이

남아있는 우리는 부정적 감정에 민감할 수밖에 없습니다. 부정적 감정에 민감한 공동체는 '맹수가 나타나지 않을까?', '이 과일에 독이 있지 않을까?' 하며 늘 불안과 두려움을 안고 살았을 것입니다. 따라서 뭘 먹거나 이동할 때 각별히 조심함으로써 생존 확률을 높일 수 있었습니다. 반대로 부정적 감정에 둔감한 천하태평 공동체의 경우라면 맹수에 대한 걱정 없이 숲을 돌아다니고, 처음 보는 과일도 덥석 집어 먹었을 것입니다. 따라서 위험이 도사리고 있는 숲속에서 살아남기 어려웠을 수밖에 없습니다.

그래서 부정적 감정은 인간의 생존에 있어 서치라이트 불빛에 비유할 수 있습니다. 서치라이트는 어떤 것을 밝히거나 찾아내기 위하여 빛을 멀리 비추는 조명기구입니다. 그 서치라이트가 우리의 무의식 속을 매 순간 탐색하다가 위협적인 요소를 발견하면 우리 몸에 경보를 울리는데, 이것이 바로 부정적 감정입니다. 옛 조상들에게는 포식자, 독, 혹시 모를 전염병 등이 위험 요소였다면, 오늘날에는 건강과 노후에 대한 염려, 마감 시한이 임박한 업무, 자식의 성적과 진로, 편찮으신 부모님, 공과금 청구서, 미세먼지 등이 불안이나 두려움을 일으킵니다. 즉, 부정적 감정은 삶에 위협이 되는 요소들을 미리 예방하여 행복한 삶을 만들라는 신호입니다.

아이를 위한 감정의 온도

어니 J. 젤린스키Ernie J. Zelinski의 《느리게 사는 즐거움》에서는 우리가 하는 걱정의 40%는 절대 일어나지 않을 사건들이고, 30%는 이미 일어난 사건들, 22%는 사소한 사건들, 4%는 우리가 바꿀 수 없는 사건들이라고 말합니다. 즉, 96%의 걱정이 쓸데없는 것입니다. 하지만 96%의 쓸데없는 걱정을 할 수밖에 없는 존재가 우리입니다. 감정 서치라이트가 환하게 불을 밝히고 있기 때문입니다.

두려움과 분노의 감정은 영화 〈안시성〉에서도 잘 드러납니다. 〈안시성〉은 645년 수십만 당의 군대에 맞서서 고구려를 지켜낸 안시성 성주 양만춘과 백성들의 기적적인 승리를 담은 영화입니다. 중국을 통일하고 당의 황제가 된 이세민이 20만의 정벌군을 이끌고 고구려로 쳐들어왔지만, 안시성 성주 양만춘과 5천 명의 병사들에게 대패합니다.

당나라 군사가 성문 앞에 도착했을 때 병사들은 온몸으로 두려움을 표현합니다. 절망적인 눈빛과 창백한 얼굴, 벌벌 떨리는 팔다리…. 두려움이라는 감정은 안시성 병사들에게 성을 버리고 빨리 도망가라고 말합니다. 살아남기 위해서는 당나라 대군과 싸우기보다 도망가는 편이 유리하기 때문입니다.

두려움의 내면으로 좀 더 깊숙이 들어가 보겠습니다. 두려움이라는 감정은 크게 다섯 가지로 구분할 수 있습니다. 첫째는 자신의 존재가 사라지는 것에 대한 두려움인 '죽음'입니다. 밤길을 가다가 무덤을 발견하면 무섭고, 화장터 근처는 가기도 싫은 이유이지요. 둘째는 '절단'에 대한 두려움입니다. 신체 일부가 절단되거나 다른 무언가에 의해 신체의 기능이 손상되는 것에 대한 두려움입니다. 기침하는 사람을 멀리하고, 신호등이 녹색이어도 다가오는 차량이 없는지 살피는 이유입니다. 셋째는 '자유 상실'에 대한 두려움입니다. 어떤 환경에 의해 움직임에 제약을 받거나 갇히게 되는 경우입니다. 치과에서 치료를 받을 때 무엇이 가장 불편한가요? 치료가 진행되는 동안 의자에 꼼짝 않고 누워 있는 것 외에는 아무것도 할 수 없다는 것입니다. 유독 치과에 가기가 두려운 이유이기도 합니다. 넷째는 좋아하는 사람들로부터 버림받는 것에 대한 두려움인 '외로움'입니다. 다섯째는 '자아의 굴욕'입니다. 사람들 앞에서 창피를 당할까 봐 두려운 감정입니다. 지금까지 강의를 수백 번 했지만, 매번 새롭게 강의를 시작할 때면 혹시 실수라도 할까 봐 손에 땀이 나고 심장이 쿵쿵거립니다.

안시성 병사들의 두려움은 나와 가족의 소중한 생명을 잃을지도 모른다는, 죽음에 대한 두려움이었을 겁니다. 사실 두려움은 사람

아이를 위한 감정의 온도

을 비롯한 모든 포유류가 가진 가장 기본적인 감정입니다. 두려움은 감정의 맨 아래에 머물면서 생존에 해가 되는 것을 찾아내 우리 몸에 알립니다.

그 두려움이 우리 몸에 나타나면 두 가지 중요한 호르몬이 분비됩니다. 하나는 아드레날린입니다. 아드레날린은 콩팥 옆의 '부신'이라는 기관에서 분비되며, 심장을 수축시켜 혈압과 맥박을 상승시킵니다. 근육에 산소를 공급하여 위협이 닥치면 즉각적으로 도주하거나 싸울 수 있게 해줍니다. 두 번째는 코르티솔입니다. 코르티솔은 수 시간에서 수십 시간 동안 작용하는 호르몬입니다. 아드레날린이 단거리 경주를 위한 호르몬이라면 코르티솔은 장거리 경주를 위한 호르몬이지요. 코르티솔은 몸속의 에너지를 분해하여 포도당을 만듭니다. 포도당은 우리 신체의 에너지원이므로, 비상 상태에 대비하기 위해서는 포도당을 많이 확보해야 합니다. 코르티솔의 또 다른 기능은 염증과 통증의 완화입니다. 만약 안시성 군사들이 당나라군에게 상처를 입는다고 해도, 상처의 고통을 줄여주고 덧나지 않게 해줍니다.

두려움은 용기의
전제 조건이다

용기 있는 사람은 두려움을 느끼지 않는 사람이 아니라
두려움을 정복하고 압도해 뛰어넘는 사람이다 _넬슨 만델라

당나라 대군을 맞이한 안시성 병사들의 신체를 두려움이 점령해
버렸습니다. 사실 정확히 표현하면 그들에게 당나라 대군은 두려
움이 아니라 공포의 대상이었습니다. 두려움과 공포의 차이점은
무엇일까요? 사전에서는 두려움이 '근심, 걱정, 두려운 느낌' 등으
로 정의됩니다. 공포는 '테러, 겁'과 비슷한 단어로 '두렵고 무서운
느낌'으로 정의되고 있습니다. 쉽게 말하자면 강렬한 두려움이 곧
공포입니다. 강렬한 두려움에 사로잡혀 있는 안시성 병사들을 향
하여 양만춘 장군은 이렇게 외칩니다.

아이를 위한 감정의 온도

우리는 물러서는 법을 배우지 못했다!
우리는 무릎 꿇는 법을 배우지 못했다!
우리는 항복이라는 걸 배우지 못했다!

그러면서 병사들로 하여금 뒤를 돌아보게 합니다. 그곳에는 부모님과 처자식들이 겁을 잔뜩 먹은 채 부들부들 떨고 있습니다. 양만춘 장군은 칼을 높이 치켜들고 백성들을 바라보면서 이렇게 말합니다.

모두 뒤를 돌아보아라!
어느 녀석이 나의 소중한 것을 짓밟고 빼앗으려고 할 땐 목숨을 걸고 싸워야 한다! 지금이 바로 그때다! 저들을 지키기 위해 싸우자!

양만춘 장군이 말한 '나의 가장 소중한 것'이란 무엇일까요? 가족, 친구, 직업, 재산 등 우리 삶에서 소중한 것은 너무 많습니다. 하지만 사라졌을 때 가장 가슴 아플 만한 것은 역시 사랑하는 가족입니다. 안시성 병사들이 당나라 대군을 물리칠 수 있었던 가장 큰 힘은 바로 소중한 가족을 지키고자 했던 용기였습니다. 가족을 잃을지도 모른다는 두려움이 가족을 지켜야겠다는 용기로 바뀌었습니다.

용기는 두려움 속에서 만들어집니다. 만약 우리에게 두려움이라는 감정이 없다면 용기도 없습니다. 두려움이 용기의 전제 조건입니다. 밤이 없으면 낮이 없습니다. 진정한 용기는 두렵지만 해내고, 두려움을 무릅쓸 만큼 소중한 것이 있음을 아는 것입니다.

사실 두려움은 곳곳에 스며 있습니다. 이 글을 쓰고 있는 순간, 심리학자도 뇌과학자도 아닌 제가 이런 얘기를 하는 게 맞는지 걱정됩니다. 다만 오랫동안 학교 현장에서 아이들과 지내왔고, 많은 학부모를 만났기에 그 경험을 공유하고 싶은 마음이 큽니다. 누군가 이 글을 읽는다고 생각하면 두렵지만, 상처받은 이들에게 작은 도움을 주고 싶다는 용기가 이른 새벽 카페로 제 발걸음이 향하게 합니다.

저의 두려움은 심장 박동을 촉진시켜 근육에 포도당이라는 에너지를 보내줍니다. 제가 새벽에 빨리 일어날 수 있는 이유입니다. 두려움이라는 감정을 느끼면 제 눈의 동공이 커져 감정이라는 주제에 몰입하게 됩니다. 이렇게 두려움은 우리를 움직이게 하는 보석 같은 존재입니다.

아이를 위한 감정의 온도

두려움이 열등감으로
나타난다

열등감을 느끼는 것은 자신이 그것에 동의했기 때문이다 _엘리너 루스벨트

캐나다에서 있었던 일입니다. 부엌에 있던 엄마에게 뒤뜰에서 놀던 일곱 살 아들의 비명이 들렸습니다. 급히 뛰어가 보니 야생 퓨마가 아들의 팔을 물고 있었습니다. 엄마는 무작정 퓨마에게 달려들어 입을 벌렸습니다. 그러자 퓨마는 놀랍게도 아이의 팔을 놓아준 뒤 자리를 떠났습니다. 두려움이 위대한 용기로 변하는 순간을 보여준 극단적인 사례입니다.

'감정 뇌'의 진화 중심에는 생존에 가장 필요한 '두려움'이 자리 잡고 있습니다. 그리고 이와 비슷한 감정으로 '불안'이 있습니다. 두려움과 불안의 차이는 '명백한 위험 요인이 존재하는가'에 있습

니다. 눈앞에 뱀이나 맹수가 나타난다면 당장 내게 위협을 끼칠 수 있으니 '두려움'을 느끼게 됩니다. 반면 외부의 위험이 무엇인지 특정할 수 없을 때, 이를테면 막연히 어머니의 건강 상태가 걱정되는 마음 같은 것이 '불안'입니다.

두려움은 맞서 싸우거나 회피하게 하는 자동 신경 시스템을 가지고 있습니다. 만약 어항에 있는 붕어를 손으로 잡으려 하면 붕어는 본능적으로 두려움을 느껴 도망갑니다. 손을 빼면 붕어의 두려움도 사라질 테지만, 붕어는 걱정이 되기 시작합니다. 언제 커다란 손이 다시 나타나 자신을 잡으려 할지 모르니까요. 미래에 대한 걱정, 이것이 불안입니다. 따지고 보면 불안도 두려움 때문에 만들어지는 감정입니다.

맹수에 비하면 근육의 힘은 턱없이 부족하고, 사나운 이빨도 없으며, 동체 시력도 형편없는 인간은 두려움을 극복하기 위해 공동체를 이루며 살기 시작했습니다. 그리고 그 과정에서 탄생한 또 다른 감정이 바로 '열등감'입니다. 공동체를 이루는 구성원들 사이에는 능력 차이가 있을 수밖에 없습니다. 사냥을 잘하는 사람이 있는가 하면, 물고기를 유독 잘 잡는 사람이 있습니다. 나무에 올라가 과일을 잘 따는 사람도 있습니다. 자연스럽게 서로를 비교하게 됩니다.

아이를 위한 감정의 온도

열등감의 사전적 정의는 '스스로 다른 사람에 비하여 뒤떨어지거나 능력이 없다고 생각하는 만성적인 감정'입니다. 열등감에 빠지면 자신이 무능하고 무가치한 존재라고 느끼게 됩니다. 합리적인 생각을 할 수 없으며, 무슨 일을 하든 실패할 거라는 생각이 몸과 마음을 사로잡습니다. 두려움을 이기기 위해 만든 공동체 생활이 열등감을 탄생시켰으니, 따지고 보면 열등감의 근본적인 원인도 두려움인 셈입니다.

열등감을 가장 많이 연구한 사람은 오스트리아 심리학자 알프레드 아들러Alfred Adler입니다. 그는 인간은 본래 무기력한 존재로 태어났기 때문에 누구에게나 열등감이 있다고 설명합니다. 여기서 '무기력'이란 혼자서 세상을 살아갈 힘이 없다는 걸 나타냅니다. 부모님, 선생님, 친구들의 도움을 받아야 살아갈 수 있는 무기력한 존재가 인간입니다. 우리는 너무나 나약한 존재여서 혼자서 살아가야 한다고 생각하면 세상의 모든 것이 두렵습니다. 그 두려움이 얼굴 모양을 바꾸면 열등감이 됩니다. 세상에 대한 두려움이 우리의 잠재 능력을 발달시키는 촉진제가 되는 한편, 열등감이라는 얼굴로 나타납니다.

감정 콤플렉스,
자기 정당화

생각하는 것은 쉬운 일이다. 행동하는 것은 어려운 일이다.
생각한 대로 행동하는 것은 더욱 어려운 일이다 _요한 볼프강 폰 괴테

아들러는 열등감의 진짜 얼굴이 두려움이라고 설명합니다. 열등감은 아동기의 경험에 뿌리를 두며, 열등한 환경을 어떻게 활용하는지가 중요합니다. 개인적으로 공감되는 이야기입니다. 저는 키가 작은 편이라 초등학교 시절 짓궂은 친구가 '땅꼬마'라며 심하게 놀렸던 기억이 있습니다. 그 친구의 억양, 표정, 몸짓이 지금도 몸서리쳐질 만큼 생생하게 떠오릅니다. 당시 저는 그 놀림을 극복하기 위해 공부와 운동 모두 더 열심히 했습니다. 돌아보면 그 친구의 놀림은 저의 발전에 보약이 되었습니다. 열등한 환경을 긍정적으로 활용한 셈이지요.

아들러의 심리학에서 열등감은 아주 중요하게 다뤄집니다. 아들러는 인간의 삐뚤어진 행동의 원인이 '자기 정당화'에 있다고 말합니다. 즉, 열등감은 '내가 부족하다'는 생각에서 생기지 않고 '자기 정당화'에서 생겨납니다. 사람들은 자신도 모르는 사이에 자신의 부족함을 메우기 위해 어떤 행동을 합니다. 예를 들어 아이들은 학교에 가기 싫은 날 엄마에게 "아파요"라고 말합니다. 실제로는 아프지 않지만 학교에 가지 않을 수 있는 핑계로 '아프다'는 이유를 만들어냅니다. 아들러는 이러한 자기 정당화가 지속되면 열등감이 점차 커지고, 삐뚤어진 행동을 하게 된다고 설명합니다.

그의 저서 《열등감, 어떻게 할 것인가?》에 나온 사례를 하나 소개하겠습니다. 사교적인 활동을 싫어하는 한 남자가 있었습니다. 그는 아내가 외출하자고 할 때마다 심한 천식 증상을 보였습니다. 겉으로 보이는 문제는 '천식'이지만 사실 그는 아내의 뛰어난 사교성에 대해 열등감을 가지고 있었습니다. 자신이 천식 증세를 보이면 아내가 외출을 포기할 테니 천식이라는 질환을 효과적으로 활용한 것입니다. 그가 일부러 천식을 일으키는 것은 아니지만 '천식을 일으키면 아내가 외출을 포기한다'는 보상이 천식을 지속하게 만들었습니다.

일상에서도 이러한 사례는 다양합니다. 호텔이나 펜션을 이용하다가 비치되어 있는 집기를 실수로 파손시킨 경우, 숙박객의 반응은 두 가지로 나뉩니다. 숙박업체 측에 사실을 알려 배상방법을 상의하는 사람이 있는 반면 아무 일도 없었다는 듯이 체크아웃하는 사람도 있습니다. 그들은 이미 숙박비에 고객으로 인한 파손 비용도 포함되어 있다고 생각합니다. 자기 정당화에 밝은 사람입니다. 세금도 마찬가지입니다. 소득 일부를 고의로 누락한 채 신고하는 사람들이 있습니다. 이들은 정부가 혈세를 낭비하고 있으니 오히려 소득을 조금 줄여 신고하는 것이 자신의 권리라고 합리화합니다. 자기 정당화가 얼마나 무서운지 알려주는 대표적인 사례입니다.

• • •

보통 문제 행동을 일으키는 아이들은 자기 정당화를 잘하는 아이일 때가 많습니다. 한번은 다른 학교에서 폭력 문제를 일으켜 전학 온 5학년 남자아이가 있었습니다. 그 아이로 인해 학교에서 크고 작은 소란이 여러 번 일어났는데, 그중에 같은 반 친구들을 폭행한 사건이 있었습니다. 친구들을 무릎 꿇리고 매로 때리기까지 한 겁니다. 이 아이와 상담을 했는데 비슷한 사건을 일으킨 다른

아이를 위한 감정의 온도

아이들과는 매우 달랐습니다. 보통 잘못을 저질러 교무실에 불려오면 대부분은 반성하는 기색을 보이며 순간적으로 화가 나서 한 실수라고 변명합니다. 하지만 이 아이는 친구들이 맞을 행동을 해서 때렸다며 당당했습니다. 잘못을 했으니 매를 맞아야 한다는 신념이 확고했습니다. 학부모에게서도 이와 비슷한 경우를 쉽게 찾아볼 수 있습니다. 엄격한 규율을 정해놓고 아이가 이를 위반하면 과도한 체벌을 하는 것입니다. 보통 아동 학대를 하는 부모들이 그렇습니다.

심리학자들은 '자기 정당화'가 '인지 부조화' 때문에 일어난다고 설명합니다. 두 가지 이상의 반대되는 믿음, 생각, 가치를 동시에 지닐 때 개인이 느끼는 불편한 감정, 즉 두려움 때문입니다. 예를 들어볼까요? '소주는 건강에 이롭지 않다'는 믿음을 가진 사람이 소주 한 병을 마셨습니다. 생각과 행동이 충돌했으니 자신의 행동이 후회스럽고 마음이 불편합니다. 이 사람의 마음이 편해지려면 불편한 감정, 즉 부조화를 해소해야 합니다. 아마 '앞으로 소주에는 입도 대지 않겠다'고 다짐을 하든지, 아니면 '적당량의 술은 건강에 좋다'는 식으로 자신의 행동을 정당화할 것입니다. 아동 학대를 하는 부모도 마찬가지입니다. 아이가 규율을 어기면 불편해지는 마음을 체벌이라는 방법으로 해소합니다.

자기 정당화의 개념을 좀 더 쉽게 설명하면 거짓말과 망상의 중간쯤이라고 할 수 있습니다. 거짓말을 하는 사람은 자신의 말이 진실이 아님을 알고 있습니다. 머릿속으로 자신이 잘못을 저지르고 있다는 사실을 인지하고 있으며, 만약 이것을 다른 사람이 알게 되면 곤경에 처할 것도 알고 있습니다. 망상은 완전히 잘못된 환상에 빠지는 것입니다. 있지도 않은 것을 마치 사실인 양 믿거나, 이치에 맞지 않게 허황한 생각을 합니다. 자기 정당화는 이 두 가지 특성을 모두 가지고 있습니다. 자신이 거짓말을 하고 있다는 것은 알지만 타인을 농락하고 있다는 것은 알지 못합니다. 앞서 소개했던 5학년 아이도 친구들을 때리면 불편한 감정을 느끼지만, 동시에 잘못한 아이들은 벌이 필요하다는 망상에 사로잡혀 있었습니다.

감정 콤플렉스가
문제 행동으로

낮은 자존감은 계속 브레이크를 밟으며 운전하는 것과 같다 _맥스웰 몰츠

자기 정당화는 거짓말이나 변명과는 다릅니다. 아이들은 부모나 교사에게 종종 거짓말이나 변명을 합니다. 나쁜 아이로 취급당할지 모른다는 두려움 때문에 거짓말이나 변명으로 교사나 부모를 속입니다. 반면, 자기 정당화는 자신을 속이기 위한 것입니다. 거짓말이나 변명이 다른 사람을 설득하는 방법이라면, 자기 정당화는 자신을 설득하는 방법입니다. 아이들이 거짓말로 부모를 설득할 때는 대개 자신이 거짓말을 하고 있다는 사실을 알고 있습니다. 반면 거짓말로 자신을 설득하는 자기 정당화를 지속적으로 반복하면 자신의 잘못을 인지하지 못하게 됩니다. 잘못된 신념이 굳어집니다.

저와 함께 테니스를 치는 동호인들은 주말이면 복식으로 경기를 합니다. 복식 경기는 상대와 수준이 비슷해야 재밌으므로 테니스를 잘하는 사람과 아직 초보인 사람이 대개 파트너가 됩니다. 그런데 테니스를 잘 치는 사람들 중에는 꼭 잔소리꾼이 있습니다. 무릎을 굽히라는 둥 몸에서 힘을 빼라는 둥 끊임없이 조언을 던집니다. 물론 틀린 말은 아니지만 매우 언짢게 느껴질 때도 있습니다. 그들은 경기에서 지면 유독 패배의 책임을 파트너에게 돌립니다. 물론 이기면 자신이 잘한 덕분이고요. 이런 사람들의 마음속에는 심한 열등감이 숨어 있을 가능성이 큽니다. 열등감의 뿌리는 직업일 수도, 재산일 수도, 낮은 자존감이나 우울감일 수도 있습니다. 그 종류는 다르지만 보통 자신이 가진 열등감을 해소하기 위해 파트너에게 불평하는 경우가 많습니다. 불평이 불쾌감 해소에 어느 정도 도움을 주기 때문입니다.

아들러는 테니스를 칠 때 불평을 하는 것 같은 행동을 '우월성'으로 설명합니다. 열등감은 모두가 가지고 태어나는데, 많은 경우 우월성을 획득함으로써 보상이 이루어진다고 합니다. 우리가 가지고 있는 열등감은 어떤 방식으로든 반응하며, 거기에 따른 보상 행동이나 사고방식을 지니게 됩니다. 그 방식이 건강하면 상관이 없지만, 그렇지 않을 땐 개인이나 이웃의 삶을 파괴하기도 합니다.

아이를 위한 감정의 온도

열등감을 건강하게 해소한 경우를 살펴볼까요? 제 지인 중에는 한식 전문가가 있습니다. 특히 제철 식재료를 사용해 새로운 메뉴를 연구합니다. 봄이면 보통 쑥으로 만든 떡이나 국 같은 걸 떠올리는데, 그는 전혀 다른 음식을 만들어냅니다. 쑥을 넣은 비빔국수나 라면을 만들기도 합니다. 알고 보니 그는 태어날 때부터 유난히 몸이 약했다고 합니다. 특히 음식을 먹으면 소화가 잘 안 되는데, 몸이 약하다는 열등감을 새로운 메뉴 개발로 건강하게 해소하고 있는 셈입니다.

반면 열등감이 건강하지 못한 방법으로 해소되는 경우를 아들러는 두 가지 패턴으로 설명합니다. 그중 하나는 '열등 콤플렉스'로, 자신을 지나치게 비하하거나 학대하는 마음입니다. 자신을 괴롭힘으로써 마음속의 열등감에게 일종의 보상을 주는 방식입니다. 이런 사람들은 마음 깊은 곳에서 자신이 사랑받을 가치가 없다고 느낍니다. 자존감이 매우 낮은 사람들이며, 모든 것이 잘 되어가는 상황을 참지 못합니다. 가해자보다는 피해자가 낫다는 생각으로 살아갑니다. 그들에게서 나타나는 행동으로는 자해, 자살, 약물 남용, 섭식 장애 등이 있습니다.

두 번째 패턴은 '우월 콤플렉스'입니다. 열등감이 지나친 보상으로 이어지면 우월 콤플렉스가 만들어집니다. 열등 콤플렉스가 자신을 지나치게 학대하여 열등감에 대한 보상을 얻는다면, 우월 콤플렉스는 다른 사람을 지나치게 학대하여 보상을 얻습니다. 약한 친구를 때리고, 다른 아이를 비난하는 행위를 반복함으로써 자신의 열등감에 보상을 하는 행위입니다. 학교에서 일어나는 대부분의 문제 행동, 불평, 분노, 왕따, 폭력 등의 요인입니다.

친구를 때리는 행동이 잘못이라는 걸 알고 있으면서도 자신의 행동을 친구 탓으로 돌립니다. "철수가 저를 쨰려봤어요.", "미정이가 저를 때렸어요." 실제로 쨰려봤는지, 정말 때렸는지는 불분명하지만 일단 때리는 행위로 불편해진 내 마음을 정당화하기 위해 외부에서 원인을 만듭니다. 그런데 이러한 자기 정당화가 계속되고, 점점 나의 불편한 마음이 타인의 책임이라고 믿게 되면 어떤 일이 벌어질까요? 당연히 다른 사람의 행동에 제재를 가하려 할 겁니다. 그래서 다른 사람에 대한 간섭이 시작됩니다. 화를 내고 폭력을 행사합니다. 이런 마음과 행동이 악순환으로 이어져 어느새 분노, 폭력, 자해 등의 콤플렉스라는 나무가 훌쩍 자라버립니다.

이렇듯 기본적으로 두려움에 바탕을 두고 있는 열등감은 어떤 사람에게는 용기의 에너지가 되지만, 다른 사람에게는 콤플렉스로 표현되는 실패의 에너지가 됩니다.

아이를 위한 감정의 온도

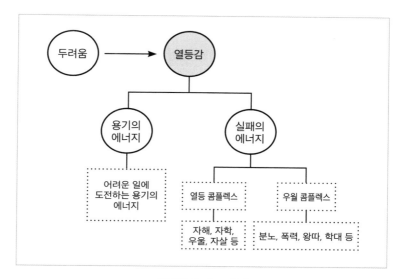

열등감의 해소 패턴

세상을 보는 서치라이트,
자아개념

우리가 아이들에게 줄 수 있는 가장 큰 선물은 자기들이 얼마나 값진 것을
가졌는지 스스로 알게 해주는 것이다 _아프리카 스와힐리 격언

열등감이 발생했을 때 용기를 선택할지 혹은 실패를 선택할지의
기준은 그 사람이 낀 안경, 즉 세상을 보는 시각에 달려 있습니다.
그 안경은 아들러의 표현을 빌리면 '생활양식'입니다.

생활양식에서 가장 중요한 요소는 자아개념입니다. '나는 어떤
사람인가?', '나의 능력은 어느 정도인가?', '나는 지금 어떤 처지에
있는가?' 등의 질문에 대하여 스스로 내놓을 수 있는 답이 자아개
념이지요. 따라서 자아개념에는 자신의 능력에 대한 견해만이 아
니라 성격, 태도, 느낌 등이 모두 포함됩니다.

자아개념은 말하자면 세상을 보는 서치라이트입니다. 긍정 렌즈

아이를 위한 감정의 온도

를 끼면 세상이 행복하게 보이고, 부정 렌즈를 끼면 세상은 불행하게 보입니다. 아이들이 어떤 렌즈를 끼는가는 만 5세 전후로 결정됩니다.

그럼 어떤 아이들이 부정 렌즈를 끼게 될까요? 먼저 신체적인 약점을 가진 아이들입니다. 대부분은 건강하게 태어나지만 그렇지 못한 아이도 있습니다. 교통사고 등으로 유아기에 신체적 결함이 발생하기도 합니다. 부모님, 선생님, 친구들의 적극적인 도움이 없다면 이 아이들은 어떻게 될까요? 당연히 세상을 바라볼 때 부정 렌즈를 끼게 되며, 자기중심적으로 성장하게 됩니다. 만약 헬렌 켈러가 앤 설리번 선생님을 만나지 못했다면 어떻게 되었을까요? 분명한 건 우리가 알고 있는 것과는 많이 다른 길을 걸었으리라는 겁니다.

부정 렌즈를 낄 확률이 높은 두 번째 경우는 부모가 애지중지 키운 아이들입니다. 부모가 아이에게 지나치게 애정을 쏟으면 아이들은 자신이 원하는 것은 무엇이든지 이루어진다는 자아개념을 갖게 됩니다. 마치 자신이 마법사인 양 살아가게 됩니다. 이런 아이들은 학교에서 늘 자신이 주인공이 되어야 합니다. 친구들과 선생님은 당연히 자신을 좋아해야 합니다. 하지만 세상은 그렇게 돌아가지 않습니다. 관심을 받기 위해 친구들의 잘못을 선생님께 이르기도 해보지만, 선생님은 오히려 친구를 감싸주라고 합니다. 점점 이 아이는 세상이 자신을 거부하고 싫어한다고 판단하게 됩니다.

세 번째는 방치되고 학대받은 아이들입니다. 우리 주변에는 방치된 아이들이 생각 외로 많습니다. 이혼, 맞벌이, 가정형편 등의 원인으로 이런 아이들이 늘어갑니다. 이전에 상담한 적이 있는 4학년 여자아이는 항상 저녁을 혼자 먹는다고 했습니다. 부모님이 일을 마치고 새벽에 들어오시기 때문에 잘 때만 얼굴을 볼 수 있답니다. 이런 환경의 아이들은 부모의 사랑을 몸으로 느낀 경험이 부족합니다. 내면의 사랑이 부족하면 세상을 차가운 시선으로 바라보는 자아개념이 형성될 가능성이 큽니다. 이런 이유로 친구들과 선생님을 믿지 못하고 의심하게 됩니다. 그 의심은 아이를 더욱 고립시키는 악순환으로 이어집니다.

앞서 우리 마음에는 수많은 감정 가족이 살고 있다고 했습니다. 우리는 내면에 가장 크게 자리하고 있는 감정의 시선으로 세상을 봅니다. 그것이 '자아'라는 렌즈입니다. 어떤 렌즈를 끼고 세상을 바라보느냐에 따라 주위가 긍정적인 것들로 가득해 보일 수도, 부정적인 것들로 가득해 보일 수도 있습니다.

사람마다 감정 모양이
다르다

초등학교 동창 중에 세상의 모든 일을 '감사' 렌즈를 통해 들여다 보는 친구가 있습니다. 이 친구가 다른 사람의 흉을 보는 모습을 발견하기란 여간 어려운 일이 아닙니다. 마치 벌이 꿀을 찾아 이 꽃저 꽃을 옮겨다니는 것처럼 감사할 거리를 찾아 곳곳을 탐색합니다. 이 친구를 보면 '사람이 꽃보다 아름답다'는 말이 사실이라는 생각이 듭니다.

이 친구가 세상을 '감사' 렌즈로 보게 된 계기가 궁금했습니다. 제가 찾은 답은 '봉사'였습니다. 그는 사회복지관에서 20년 이상 자원봉사 활동을 해오고 있습니다. 청소와 설거지를 하거나 신체가 불편한 어르신들에게 목욕을 시켜드리고, 말동무가 되어 드립니다. 그러한 봉사활동에 대한 기억들이 늘 감사하는 마음으로 세상을 바라보게 해준 결정적 원인이 된 듯합니다.

기억과 감정의 관계에 대해 조금 더 깊이 들여다보겠습니다. 2012년 20부작으로 방영된 〈브레인〉이라는 드라마가 있습니다. 성공에 대한 강한 욕망을 지닌 신경외과 의사가 진정한 멘토를 만나게 되기까지의 이야기를 그렸습니다. 극 중 뇌신경외과 교수가 학생들에게 사람의 마음이 어디에 있느냐고 묻습니다. 학생들은 심장에 있다고 답하죠. 그러자 교수는 이렇게 말합니다. "뇌는요, 사람의 마음이에요. 브레인은 바로 사람 그 자체입니다."

뇌신경외과 교수의 이야기처럼 뇌가 곧 '나'라는 사실은 뇌과학적 지식이 발전함에 따라 부정할 수 없는 진실이 되어가고 있습니다. 뇌가 곧 '나'라는 사실을 뒷받침하는 가장 그럴듯한 이론을 제시한 사람은 예일대학 폴 맥린Paul MacLean 교수입니다. 그의 '3층 뇌 모델' 이론에 따르면 인간의 뇌는 세 가지 별개의 영역으로 구성되어 있고, 각 영역은 인류가 진화하면서 서로 다른 시기에 발달했으며, 서로가 감싸면서 층을 이루고 있습니다.

폴 맥린 교수의 3층 뇌 모델을 살펴보면, 먼저 뇌의 1층은 일명 '생명의 뇌'라고 불립니다. 이곳은 말 그대로 생명을 유지하는 데 필요한 역할을 하며, '파충류의 뇌'라고도 불립니다. 생명의 뇌에서는 호흡, 체온 조절, 심장 박동 등을 관장하는데, 뇌의 구조로 보자면 뇌간brain stem에 해당합니다. 뇌간은 뇌에서 가장 오래된 부분이며 뇌의 신경들이 뇌간을 거쳐 척수를 지나 우리 몸의 구석구석으로 연결되어 있습니다. 거북이는 알에서 깨어나자마자 바다에서 작은 물고기를 잡아먹을 수 있습니다. 이유는 무엇일까요? 폴 맥린 박사는 거북이의 생존에 필요한 필수적인 프로그램이 뇌간에 입력되어 있기 때문이라고 설명합니다.

다음은 뇌의 2층으로 가보겠습니다. 이곳은 포유류를 닮았다고 해서 '포유류의 뇌'로 불립니다. 뇌의 1층, 즉 뇌간의 바로 윗부분에 해당합니다. 진화 과정을 살펴보면 파충류 이후에 포유류가 출현했습니다. 파충류와 포유류가 가장 크게 다른 점은 무엇일까요? 새끼에 대한 사랑입니다. 파충류는 먹이가 없으면 새끼도 잡아먹지만, 포유류는 그렇지 않습니다. 파충류가 태어나자마자 먹이를 잡아먹을 수 있어서 스스로 살아갈 수 있는 반면에 포유류는 일정한 시간 동안 어미의 보살핌을 받아야 합니다. 출산 직후 예민해진 반려견이 새끼를 지키려고 보호자에게도 으르렁거릴 때가 있듯, 어미는 본능적으로 새끼들을 돌보고 위험 요소로부터 지키려고 합니다. 포유류의 뇌 어느 부분이 작용하여 이러한 행동을 하는 것인지는 오랫동안 뇌과학자들의 숙제였습니다. 오랜 연구 끝에 뇌과학자들은 포유류의 뇌에서 감정을 담당하고 있는 부분이 변연계limbic system라고 밝혔습니다. 변연계는 주로 해마, 편도체, 시상, 시상하부 등으로 구성되어 있습니다. 그런데 생쥐를 대상으로 변연계를 잘라내는 실험을 하자, 이 생쥐들은 더 이상 새끼들을 돌보지 않았다고 합니다. 편도체를 잘라내면 고양이를 무서워하지 않기도 했습니다.

이어서 뇌의 3층으로 올라가 보겠습니다. 뇌의 3층은 '인간의 뇌'에 해당하며 뇌의 2층 바로 윗부분에 자리 잡고 있습니다. 폴 맥린 교수에 의하면 뇌의 3층은 인간에게만 있습니다. 이 영역은 시각, 청각, 후각, 촉각 등 감각에서 들어온 정보를 받아들이고 운동 명령을 내리며, 추상적인 사고와 언어, 상상을 담당하고 감정과 충동을 조절합니다.

폴 맥린 교수의 '3층 뇌 모델'은 일반인이라도 누구나 쉽게 알 수 있도록 뇌를 체계화하여 설명하기 때문에 많은 도서와 강의에서 활용되고 있습니다. 하지만 그만큼 많은 비판을 받는 이론이기도 합니다. 어떤 이론에 따르면 포유류에게만 존재해야 할 해마가 조

아이를 위한 감정의 온도

류에게서도 발견되고, 파충류에게는 없다는 편도체도 실제로는 존재하기 때문입니다.

드라마 〈브레인〉 이야기를 좀 더 해볼까요? 이 드라마에는 사람의 뇌를 fMRI로 촬영하는 장면이 나옵니다. 여자 주인공에게 사랑하는 사람을 생각하게 한 후 뇌를 fMRI로 촬영합니다. 그녀가 사랑하는 사람을 생각하자 뇌의 편도체를 중심으로 변연계가 활성화됩니다. 이것을 본 의사들은 그녀가 사랑에 빠졌다고 확신합니다. 하지만 뇌신경외과 교수는 "사람마다 사랑이 달라서 활성화되는 뇌의 영역도 사람마다 다르다"고 이야기합니다. 누구의 이야기가 맞을까요?

변연계가 활성화되는 걸 보고 사랑에 빠졌다는 결론을 내리는 건, 감정에 따라 뇌의 특정 부위가 관여한다는 사실을 전제로 한 것입니다. 우리 집이 거실, 안방, 부엌, 작은방 등으로 나뉘어 있듯이, 뇌에도 감정에 따른 방이 하나씩 있어서 어느 방에 불이 켜지느냐에 따라 어떤 감정인지를 알아볼 수 있습니다. 마치 이 방에 불이 켜지면 '사랑'이고, 저 방에 불이 켜지면 '두려움'이라고 판단할 수 있는 것처럼 말이죠. 이것은 초기 뇌과학 연구자들에게 지배적인 생각이었습니다. 편도체가 손상된 생쥐가 고양이를 무서워하지 않는 것을 보면 공포라는 감정이 사라진 게 분명했으니까요. 그래서 초기 연구자들은 뇌에서 감정을 담당하는 영역이 편도체에 있다고 점차 확신했고, 이후 사람을 대상으로 연구 실험을 이어갔습니다.

사람은 쥐나 원숭이 실험처럼 정확하게 좌우 뇌의 편도체 두 개가 손상된 경우를 발견하기가 쉽지 않습니다. 그런데 1990년 뇌에서 유일하게 편도체만 손상된 환자가 발견되었습니다. 그녀는 '우르바흐-비데'라는 병을 앓고 있었던 25세 여성이었습니다. 우르바흐-비데병은 편도체에 있는 세포를 죽이는 희귀한 질병으로 알려져 있습니다. 10세 때부터 이 병에 걸린 이 환자의 뇌를 관찰한 결과 편도체가 존재하지 않았습니다. 하지만 그녀는 인지 기능이나 정서적인 면에서는 특별한 문제가 없었습니다.

이 사례는 편도체가 감정을 담당한다고 생각했던 그동안의 연구를 크게 흔들었습니다. 이후 감정에 대한 뇌과학 연구들은 편도체만 감정을 담당하는 것이 아니라 편도체를 중심으로 시상하부, 해마 등의 변연계 등이 전두엽을 비롯한 나머지 뇌 영역 등과 연합하여 작용한다고 설명하고 있습니다. 다만, 편도체는 특히 불안, 두려움 등 생존과 관련된 감정들과 더 밀접하게 관련되어 있다는 사실이 밝혀지고 있습니다. 또한, 사람에 따라서 감정을 처리하는 뇌 영

아이를 위한 감정의 온도

역이 조금씩 다를 수 있습니다. 예를 들어 '사랑'이라는 감정이라 해도 변연계 영역이 많이 활성화되는 사람이 있는가 하면 조금 활성화되는 사람도 있는 것이지요. 이처럼 사람마다 감정의 모양이 다릅니다. 어쩌면 드라마에서 뇌신경외과 교수가 했던 "사람마다 사랑이 달라서 활성화되는 뇌의 영역도 다르다"는 말이 정말 맞는지도 모릅니다.

불편한 감정은
눈덩이처럼 쌓인다

스스로 자신을 존경하면 다른 사람도 그대를 존경할 것이다 _공자

'눈덩이 효과'라는 말을 들어보셨나요? 작은 원인이 선순환 또는 악순환을 거쳐 처음과는 다른 엄청난 결과로 이어지는 현상을 은유적으로 표현한 말입니다. 작은 눈덩이를 언덕 위에서 굴리면 점점 더 커다란 눈덩이가 되는 것처럼 말입니다.

막 초등학교에 입학한 우리 아이들은 언덕 위에 있는 작은 눈덩이와 같습니다. 자기만의 자아개념이라는 렌즈를 낀 채 한자리에 모인 셈입니다. 대부분 긍정 렌즈를 끼고 있지만 일부는 부정 렌즈를 끼고 있습니다. 부정 렌즈를 끼고 있는 아이들이 매년 조금씩 늘어가고 있어 안타깝습니다.

긍정 렌즈를 낀 아이들에게는 대체로 선순환이 일어납니다. 친구들이나 선생님과의 관계가 좋다 보니 학년이 올라갈수록 '용기'라는 눈덩이가 점점 커집니다. 학교 가는 것이 즐겁고, 친구들과 잘 어울리며, 어떤 어려움도 쉽게 이겨냅니다. 반면 부정 렌즈를 끼고 출발하는 아이들에게는 친구들과 어긋나게 되는 일들이 번번이 생깁니다. 선생님이 아무리 애를 써보아도 좀처럼 개선되지 않습니다. 친구들도, 선생님도 점점 그 아이에게서 멀어집니다. 그 아이와 같은 반이 되는 게 꺼려집니다. 1학년이 끝날 무렵이면 몇몇 학부모들이 찾아와 우리 아이와 그 아이가 같은 반이 되면 전학을 가겠다고 은근한 협박을 합니다. 아이가 2학년을 마칠 때쯤에는 '상처'라는 눈덩이가 조금 커져 있습니다. 키가 자란 만큼 문제 행동도 심각해져 있지요. 3학년쯤 되면 부모도 문제의 심각성을 느끼기 시작합니다. 아이를 향한 안타까움은 말로 표현할 수 없을 정도지만 그렇다고 꾸중과 질책을 그만둘 수도 없습니다. 이러한 악순환을 겪으며 아이는 '좌절'이라는 눈덩이를 더 키워가게 됩니다. 눈덩이가 커질수록 굴러가는 속도를 제어하지 못해 큰 나무나 돌덩이에 부딪혀 부서지게 되지요. 대부분 이런 상황은 초등학교 3학년쯤 발생하는데, 빠르면 유치원 시절부터 나타나기도 하고 늦은 아이들은 중·고등학교 때 나타나기도 합니다.

좌절이라는 눈덩이는 아들러의 설명처럼 열등 콤플렉스 혹은 우월 콤플렉스로 표면에 드러납니다. 양쪽 모두 학교폭력대책자치위원회의 단골손님들이지요. 다음은 학교에서 조사한 몇 가지 실제 사례들입니다.

매사에 무기력한 아이

저희 반의 한 아이는 겉으로 보아서는 아무 문제도 없어 보이는데 학습 활동이나 모둠 활동에 참여하지 않으려 합니다. 아무것도 하지 않고 가만히 있습니다. 여러 방법으로 다독여보아도 하는 척만 합니다. 심지어 급식 시간에도 밥을 거의 먹지 않습니다. 숟가락을 쥐여주어도 먹는 시늉만 합니다. 이럴 때 손으로 입술을 만지는 경우가 많습니다. 매사에 의욕이 없습니다. 아이 엄마와 상담을 했습니다. 아이가 어렸을 때 엄마는 뇌종양을 앓았다고 합니다. 그래서 오랜 시간 엄마와 떨어져 지냈고, 그것이 원인이 되어 편식이 심해지고 소극적인 성향으로 변한 것 같다고 합니다.

분노를 자주 표출하는 아이 ①

작년에 가르친 남학생 중 한 명은 화가 나면 친구와 교사를 위협하고 교실을 뛰쳐나가 집으로 가버렸습니다. 감정 기복이 매우 심했고, 게임에 빠져 있었습니다. 이 아이의 가장 큰 문제는 선생님을 잘 따르다가도 화가 나면 매우 공격적으로 바뀐다는 점입니다. 화를 내는 기준도 자기 멋대로여서 어떻게 대처해야 할지 모를 정도였습니다. 그 아이가 화가 나면 교실이 발칵 뒤집혔습니다. 흥분하여 물건을 이리저리 던지기까지 했습니다. 부모님께 도움을 요청해보았지만, 마땅한 해결책이 보이지 않았습니다.

분노를 자주 표출하는 아이 ②

5학년 남학생인데 항상 검은색 옷을 입고 검은색 모자를 쓰고 다닙니다. 수업 시간, 급식 시간 가리지 않고 늘 모자를 쓰고 다니는데 아무리 달래고 타일러도 벗지 않습니다. 이 아이는 학습 활동에 전혀 관심이 없습니다. 가장 큰 문제는 화가 나면 조절이 안 된다는 것입니다. 선생님이 살짝 나무라기라도 하면 두 주먹을 쥐고, 이를 갈며(실제로 어금니 가는 소리가 들릴 정도) 노려봅니다. 친구들이 거슬리는 말이나 행동을 할 때도 마찬가지입니다.

질투심이 많은 아이

시샘이 많은 여자아이가 있습니다. 예쁘고 똑똑한 아이들만 친구로 인정합니다. 그렇지 않은 아이들은 무시하며 따돌립니다. 남자아이들을 잘 꼬집고 무언가 마음에 안 들면 울어버립니다. 어머니도 아이의 상태를 잘 알고 있습니다. 어렸을 때부터 그래 왔는데 방법을 찾지 못하는 것 같습니다. 평화로운 교실을 위해 아이의 마음을 제대로 이해하고 긍정적으로 변화시키고 싶습니다.

좌절감에 빠진 아이

어머니가 개신교에서 이단이라고 판정하는 종교를 믿는 아이가 있습니다. 어머니는 매우 신실한 반면, 아이를 많이 미워합니다. 그래서일까요? 이 아이는 수업 시간에 딴짓으로 일관합니다. 가끔 멍하니 창문을 바라보고 있습니다. 자기 물건을 잘 챙기지 못하며, 친구들과 어울리지 못합니다. 자존감이 매우 낮아 삶의 의욕이 전혀 없어 보입니다. 상담 치료도 받게 하고, 어머니와 대화도 해봤지만 전혀 나아지지 않습니다. 어떻게 해야 할까요?

거짓말을 잘하는 아이

눈치를 잘 보며 거짓말을 자주 하는 아이가 있습니다. 이름만 불러도 깜짝 놀라고, 별것 아닌 일에도 잔뜩 움츠러듭니다. "죄송합니다"라는 말을 달고 살며 자신을 죄인 취급합니다. 그런데 어른에게는 무조건 복종하지만, 자기보다 약한 아이들에게는 함부로 대합니다. 스트레스 때문인지 유난히 작고 말랐습니다. 숙제를 해오지 않고 준비물도 전혀 챙겨오지 않습니다. 꼭 해야 할 숙제도 잊어버렸다면서 늘 거짓말을 합니다. 부모님과 상담을 하면서 알게 되었는데, 부모님이 20살 무렵 예기치 않게 이 아이를 갖게 되었다고 합니다. 아버지는 직장이 일정하지 않고 술에 취하면 주사가 심하다고 합니다. 어머니는 아이에게 매우 엄격한데, 종종 엄마가 해야 하는 일까지 맡깁니다. 그래서 매일 동생 둘을 돌보고 식사를 챙겨주는 것이 이 아이의 일입니다.

우울감이 문제 행동으로 이어진 아이

5학년 여학생인데 친구들의 말이나 행동에 너무나 예민하게 반응하고 상처를 받습니다. 친구들 때문에 힘들다고 해서 여러 번 상담도 했습니다. 그런데 힘들다는 이야기를 들어보면 전혀 별일이 아닙니다. 어떤 날은 점심시간에 엉엉 울고 있기에 놀라서 이유를 물었더니 "별거 아니에요"라고 웃으면서 대답합니다. 너무 황당했습니다. 문제는 이와 비슷한 일이 자주 벌어진다는 것입니다. 이 아이를 이해할 수가 없습니다.

위의 사례들은 누구나 가지고 있는 열등감에 대해 자기 정당화가 반복되면서 눈덩이처럼 점점 커진 경우입니다. 이처럼 '열등 콤플렉스'라는 안경을 끼면, 나 자신이 한없이 부족한 사람처럼 보입니다. 잘하는 일도 없고 용기도 없고, 친구들도 좋아하지 않는 초라한 사람처럼 느껴집니다. 나의 단점만 눈에 들어오고 장점은 보이지 않으며 살아 있다는 느낌이 들지 않습니다. '우월 콤플렉스'라는 안경을 끼면 세상은 온통 나쁜 사람뿐입니다. 나는 특별히 잘못하지 않았는데 다른 사람들이 나를 싫어합니다. 친구와 가족이 나를 힘들게 합니다. 나에게 상처를 주는 그들이 밉고 싫습니다.

감정의 온도가 낮아야
배움이 시작된다

우리의 말보다 우리의 사람됨이 아이에게 훨씬 더 많은 가르침을 준다.
우리는 우리 아이들에게 바라는 바로 그 모습이어야 한다 _조셉 칠턴 피어스

20명이 조금 넘는 아이들이 교실 안에 옹기종기 앉아 있습니다. 가까이 들여다보니 정적이 흐를 뿐, 즐거운 목소리가 들리거나 신나는 표정이 보이지도 않습니다. 문을 열고 들어가 밝게 인사했지만 반응은 영 시원찮습니다. 마치 오전 근무를 마친 노동자들이 점심을 먹고 휴식을 취하는 모습 같기도 합니다. 애써 농담을 던져보지만 돌아오는 반응은 '저 좀 쉬게 그냥 내버려두세요'입니다. 대충 짐작하시겠지만 보통 6학년 아이들이 교실에서 보이는 모습입니다.

이 아이들과 미래의 '꿈'에 대하여 이야기를 나누었습니다. 우선 설문지를 준비했습니다. 솔직한 답변을 듣기 위해 이름은 적지 않

아이를 위한 감정의 온도

도록 했습니다. 6학년 아이들은 자신을 드러낸 상태에서는 일부러 부모님과 선생님이 원하는 답만 합니다. 예를 들어 꿈이 없더라도 부모님 앞에서는 꿈이 있다고 답합니다. 솔직히 말하면 부모님이 걱정하거나, 야단을 맞게 된다는 걸 알기 때문입니다.

6학년 아이들 22명을 대상으로 설문 조사를 한 결과, 실제로 꿈이 있다고 답한 아이들은 7명에 불과했습니다. 꿈이 없다고 답한 아이들이 15명으로 약 70%에 달했습니다. 그 아이들에게 초등학교 1, 2학년 때도 꿈이 없었는지 물어보았습니다. 이들 모두 초등학교 1, 2학년 때는 꿈이 있었다고 대답했습니다. 실제로 2학년 아이들에게 같은 질문을 하면 대부분 앞다투어 자신의 꿈에 대해서 이야기합니다. 부모님의 바람이 아니라 자신이 원하는 꿈이라고 말하는 아이들이 대부분입니다. 그렇다면 1, 2학년 때는 있었던 꿈이 사라진 이유는 뭘까요? 학생들의 이야기를 들어보겠습니다.

- 내가 바라던 직업을 가진 사람들이 실제로는 너무 힘들어 보인다.
- "네가 잘하는 게 있기나 하니?"라고 부모님이 질책한다.
- 의욕이 없어서 내가 무엇을 잘할 수 있을지 모르겠다.
- 부모님이 나의 꿈을 반대한다.
- 잘 모르겠다.
- 재능이 없다.

- 재미없고 힘들다.
- 꼭 꿈이 있어야 하는 건 아니다. 행복하면 그만이다.
- 공부를 잘하지 못해서 꿈을 이룰 수 없을 것 같다.
- 꿈을 이루기 위해 노력하기 어렵다.
- 공부에 대한 압박 때문에 다른 일은 귀찮고 힘들다.

● ● ●

6학년 아이들과 이야기를 마치고 돌아오는 발걸음이 무거웠습니다. "그냥 저 좀 편하게 쉬게 해주세요"라고 하는 듯한 아이들의 눈빛이 자꾸만 마음에 걸렸습니다. 아이들이 마치 마라톤의 페이스메이커 같다는 생각이 듭니다. 페이스메이커는 일정한 거리를 두고 자기 팀의 선수를 이끌어주는 사람입니다. 일정한 거리까지는 자기 팀 선수 앞에서 속도를 올려주고 바람을 막아줍니다. 그러다 지쳐 결국 맨 꼴찌로 처지거나 중도에 이탈합니다. 요즘 6학년 아이들을 보면 이제껏 너무 열심히 달려온 탓에 에너지가 바닥나서, 곧 포기해버릴 것 같다는 느낌을 지울 수 없습니다.

'학부모 수업 참관의 날'에 부모님이 본 것은 아이의 진짜 모습이 아닐 수도 있습니다. 아이들의 실제 생활 모습은 사랑하는 부모

아이를 위한 감정의 온도

님이 앞에 있을 때와 많은 차이가 있습니다. 부모님이 수업 참관 때 본 아이의 모습은 사실 1년 중 최고의 모습입니다.

이제 겨우 6학년인 아이들의 연료가 벌써 바닥났다면 앞으로 이 아이들은 어떻게 될까요? 무엇이 이 아이들의 연료를 바닥나게 한 걸까요? 우리는 먼저 꿈이 있다고 대답한 7명의 아이들에게 주목해야 합니다. 어떤 아이는 자신의 꿈을 이루기 위해서 블로그를 운영한다고 했습니다. 다른 아이는 자신의 꿈과 관련이 있는 책을 꾸준히 읽는다고 대답했습니다. 배움에 대한 열망으로 똘똘 뭉친 아이들입니다. 모든 부모가 바라는 이상적인 자녀의 모습이기도 합니다.

그런데 이 아이들을 살펴보면 사실 부모의 양육방식에 공통점이 있습니다. 부모님을 만나보면 감정 온도가 높지 않습니다. 항상 얼굴에 미소를 띤 채 차분함을 유지합니다. 아이들에게도 관대하며 화를 낼 때도 일관성을 잃는 법이 없습니다. 겉으로 보기에 아이에게 커다란 욕심이 없는 듯하고, 선생님에겐 늘 공손하며 예의를 갖춥니다. 아이들에게 최대한 선택권을 주려고 노력하는 모습입니다. 사실 이는 누구나 알고 있는 좋은 부모의 모습일 겁니다. 자녀 교육서나 학부모 연수회에서 제시하는 바람직한 부모의 모습도 바로 이런 것이지요. 다만 학교 현장에서는 실제로 이런 부모님을 찾기는 어렵습니다.

감정 온도가 낮은 부모의 말과 행동은 앞서 언급했듯이 거울 세포를 통해 아이에게 그대로 전달됩니다. 아이의 뇌는 부모의 차분한 감정을 끊임없이 시뮬레이션하므로 아이 역시 차분해질 가능성이 매우 큽니다. 마찬가지로 공손하고 예의 바른 행동도 본받게 되지요.

물론 좋은 부모 밑에서 자라지 않았더라도 훌륭하게 성장하는 사례도 가끔 있습니다. 제가 아는 사람 중 한 명은 술만 먹으면 가족에게 폭력적으로 변합니다. 하지만 자식들은 훌륭하게 성장했습니다. 그 아이들에게 그런 환경에서도 잘 자랄 수 있었던 이유를 물어보았습니다. 그러자 "아버지와 같은 삶을 살기 싫어서 열심히 공부했습니다"라고 답하더군요. 어쩌면 술주정뱅이 아버지가 그 아이들이 열심히 공부하게 한 동기가 된 셈이지만, 아버지와의 관계는 어떨까요? 상상에 맡기겠습니다.

그럼 우리 아이들의 바닥난 연료를 다시 채워주기 위해서는 어떻게 해야 할까요? 더구나 내게 좋은 부모로서의 자질이 부족하다고 생각된다면 더욱 걱정스럽습니다. 비록 훌륭한 부모가 아니더라도 아이를 훌륭하게 키울 수 있습니다. 아이들의 배움이 다시 시작되게 만들 의지만 있다면 말입니다.

　　　　　　　　아이를 위한 감정의 온도

Chapter 2

아이의 감정 온도를
낮추는 법

중저음의 부드러운 목소리로
말하자

목소리의 톤이 높아질수록 뜻은 왜곡된다 _유재석

아이가 학습에 집중할 수 있으려면 감정 온도가 낮아져야 합니다. 여기서 아이와 가장 밀접한 관계인 부모의 목소리를 돌아볼 필요가 있습니다. 여러분의 목소리는 부드러운 저음인가요, 아니면 날카로운 고음인가요? 결론부터 이야기하자면 부모의 목소리가 부드러운 저음이면 아이가 안정적으로 성장할 가능성이 큽니다.

아이의 거울 세포는 부모의 목소리를 듣는 순간 부모와 똑같은 뇌 부위를 활성화시킵니다. 상대방이 하는 말의 의도를 정확히 파악하기 위해 상대방의 뇌와 같은 부위가 활성화됩니다. 다시 말해 아이의 뇌 속의 거울 세포는 부모의 말뜻을 이해하기 위해 같은 뇌

아이를 위한 감정의 온도

부위를 작동시켜 동일한 상황을 시뮬레이션합니다.

그런데 이때 변수가 나타납니다. 우리 뇌의 유전자 기록이 활동하기 시작하는 것입니다. 유전자에는 부드러운 저음은 나를 보호해주는 목소리이며, 날카로운 고음은 생명에 위협을 주는 목소리라고 기록되어 있습니다. 오랫동안 아프리카 사바나와 같은 환경에서 살아온 인류로부터 전해져온 기억이지요. 옛 인류에게 날카로운 비명은 짐승을 만나거나 해를 입었을 때 들리는 소리였습니다. 그래서 우리는 지금도 영화 속 비명이나 이웃집의 부부싸움 소리를 들었을 때 긴장하고 심장 박동이 빨라집니다.

부모의 목소리가 날카로운 고음이라면 아이는 어떨까요? 부모에게 특별한 감정이 없더라도 아이의 뇌는 불안해지기 시작합니다. 물론 부모님이 나를 야단치는 게 아니라는 것을 알고 있습니다. 하지만 아이의 뇌는 자기도 모르게 흥분하며 감정 온도가 올라갑니다.

감정 온도가 올라가면 부모의 이야기가 귀에 들어오지 않습니다. 불안감이 아이의 뇌를 꽉 채워버립니다. 당연히 부모가 하는 이야기도 뇌에 기록되지 않습니다. 그럼 부모는 아이를 이렇게 윽박지릅니다. "너는 한 귀로 듣고 한 귀로 흘리니?" 이렇게 아이와 부모의 악순환이 반복됩니다. 반면 부모의 목소리가 부드러운 저음인 경우는 어떨까요? 아이의 눈을 바라보면서 저음으로 부드럽게 말을 하면 아이의 뇌는 편안한 상태가 됩니다. 부드럽고 낮은 소리는 생명에 해를 주지 않기 때문입니다. 새소리, 물소리, 바람 소리를 들으면 마음이 편안해지는 것과 마찬가지입니다. 부모가 부드러운 목소리로 말하면 아이의 감정 흥분이 떨어집니다. 감정 흥분이 떨어지면 생각 뇌가 작동하게 되며, 부모의 이야기가 귀에 쏙쏙 들어옵니다.

● ● ●

학교에서도 유독 아이들과의 관계가 좋은 교사가 있습니다. 그 교사들의 공통적인 특징 중 하나가 부드러운 목소리입니다. 아이들의 눈을 바라보면서 낮고 부드러운 목소리로 이야기를 나눕니다. 그렇게 한 학기가 지나가면 그 반의 아이들도 조금씩 선생님을 닮아있습니다. 반면 교장실에서도 들릴 정도로 목소리가 크고 고음인 선생님들도 있습니다. 그 반 아이들은 덩달아 소란할 때가 많습니다. 방금 수업에서 배운 내용인데도 선생님의 질문에 제대로 답하지 못합니다. 불안이 아이의 뇌에 꽉 차서 생각할 기회를 주지 않기 때문입니다.

아이를 위한 감정의 온도

그런데 타고난 목소리를 낮고 부드럽게 바꿀 수 있을까요? 저는 수업할 때의 제 목소리를 녹음해 퇴근 후에 다시 들어보곤 했습니다. 원래는 수업 내용을 좀 더 알차게 만들기 위해서 시작한 일이었는데, 제 목소리가 생각보다 크고 거칠다는 것을 알게 됐습니다. 이후 나긋하고 부드러운 목소리를 내기 위해 항상 주의를 기울였습니다. 시간이 흐른 뒤 다시 녹음해서 들어보니, 목소리가 많이 달라져 있었습니다. 아이와의 대화를 스마트폰으로 녹음해 들어보세요. 아니면 배우자와 대화하면서 녹음해봐도 좋습니다. 그리고 다시 들으면서 낮고 부드럽게 말하는 연습을 하다 보면 분명히 조금씩 달라집니다. 저음의 부드러운 목소리는 아이들의 감정 온도를 낮추는 역할을 합니다.

감정 주파수가
공명을 일으킨다

아이가 자기 집을 따뜻한 곳으로 알지 못한다면 그것은 부모의 잘못이며,
부모로서 부족함이 있다는 증거이다 _워싱턴 어빙

카페에 앉아 있다 보면 옆 테이블의 대화 내용이 들릴 때가 있습니다. 특히 아주머니들의 대화 주제 1순위는 역시 자녀교육입니다. 한번은 두 어머니의 대화가 들렸습니다. "○○ 엄마, 오늘은 아들과 뭐하면서 보냈어?" "응, 밥 먹고 안마해줬지."

고등학생 자녀를 둔 어머니들의 대화였습니다. 아들이 기숙사에서 생활하다가 주말에만 집에 오는 모양이었습니다. 주말이면 엄마가 아들을 매트리스에 눕혀 놓고, 발로 밟아 뭉친 근육을 풀어주며 안마를 해준답니다. 몸이 약한 아들을 위해 유치원 시절부터 손으로 마사지를 해주곤 했는데, 지금은 덩치가 커져서 손으로 주무

아이를 위한 감정의 온도

르기 버겁다는 얘기도 덧붙였습니다.

그 얘기를 들으니 '울림'이란 단어가 떠올랐습니다. 아빠보다 훌쩍 키가 자란 아들의 등을 발로 밟아 근육을 풀어주는 엄마의 정성은 분명 아들의 마음을 울리지 않았을까요? 아들이 어깨에 짊어진 입시라는 무거운 짐도 이 순간만은 가벼워졌을 것입니다.

'울림'과 비슷한 단어로 '공명'이란 말이 있습니다. 모든 물체는 고유의 '진동수'를 가지고 있습니다. '주파수'라고도 하지요. 공명이란 비슷한 진동수의 파동을 만났을 때 그 진동이 강해지는 것을 말합니다. 공명 현상의 가장 쉬운 예로는 소리굽쇠 실험을 들 수 있습니다. 진동수가 같은 소리굽쇠 두 개를 가까이 놓습니다. 한쪽 소리굽쇠를 나무망치로 치면, 다른 쪽 소리굽쇠에서도 소리가 납니다. 한쪽 소리굽쇠의 진동이 공기를 통해서 전파되면서 다른 쪽 소리굽쇠를 진동시키기 때문입니다. 반면에 진동수가 서로 일치하지 않으면 소리굽쇠를 진동시키지 못합니다.

우리도 누군가와 관계를 맺으며 이러한 공명을 일으킬 때가 있습니다. 어떤 사람은 오랫동안 함께 지내도 마음이 불편하지만, 어떤 사람은 처음 만났는데도 친근한 느낌이 듭니다. 사람도 고유의 주파수를 가지고 있어, 나와 비슷한 주파수를 지닌 사람을 만나면 마음이 편해집니다. 나와 주파수가 맞는 좋은 글이나 그림을 보았을 때 깊은 감명을 받는 현상도 마찬가지입니다. 자식도 똑같습니다. 유난히 나와 잘 맞는 아이가 있고, 그렇지 않은 아이도 있습니다. 1학년 때는 학교생활에 적응하기 힘들어하던 아이가 2학년이 되어서는 즐겁게 생활하는 경우를 종종 보게 됩니다. 그 이유도 담임선생님과 주파수가 비슷하기 때문이라고 해석하면 너무 과장일까요?

물체가 지닌 고유의 주파수는 바꿀 수 없지만, 사람은 다른 사람과 주파수를 맞출 수 있습니다. 아이의 바람직한 성장을 위해서는 우리도 아이와 주파수를 맞춰야 합니다. 부모와 아이, 교사와 아이의 주파수가 맞으면 보이지 않는 사랑의 끈이 이어집니다.

● ● ●

아이와 주파수를 일치시켜 공명을 일으키려면 어떻게 해야 할까요? 동물의 행동에서 그 힌트를 찾을 수 있습니다. 동물들은 신체 접촉을 통해서 공명을 일으키곤 합니다. 예를 들면 강아지는 보호자의 손등이나 입 주위를 핥으며 애정을 표현합니다. 강아지가 꼬리를 흔들어 반겨주면 몸이 힘들어도 함께 산책하러 나가게 됩니다. 내 마음에 공명 현상이 일어난 것입니다. 사람과 가장 비슷

아이를 위한 감정의 온도

한 영장류인 원숭이는 두세 마리씩 짝지어 서로의 털을 골라줍니다. 상대방의 털에 붙은 노폐물이나 먼지 등을 닦아주고 골라주는 스킨십도 공명 현상입니다. 털 고르기를 하는 과정에서 신뢰가 발생하며, 그 신뢰는 서로 싸우지 않고 공동체를 유지할 수 있는 관계의 힘으로 발전합니다.

사람도 동물처럼 스킨십을 통해 주파수를 맞추면 공명 현상이 일어날 수 있습니다. 물론 사람은 동물과 달리 언어를 통해서도 이것이 가능합니다. 부모가 아이를 훈육하는 유형을 분류해보면 크게 두 가지입니다. 첫 번째 유형은 두 손을 꼭 잡고 아이의 눈을 바라보면서 아이의 행동을 꾸짖는 부모입니다. 아이의 두 손을 잡으면 저절로 아이의 감정이 부모에게 전달됩니다. 그러면 학부모 연수회에서 배웠던 방법대로 부드러운 목소리로 "숙제 다 하고 노는 게 좋겠지?"라며 아이의 감정이 다치지 않게 말하게 됩니다. 두 번째 유형은 아이의 손을 잡지 않고 꾸짖는 경우입니다. 이미 부모는 아이의 잘못된 행동 탓에 매우 흥분한 상태입니다. "너 숙제했어? 안 했어?"라고 자신도 모르게 앙칼진 목소리로 아이의 행동을 나무라게 됩니다. 아이와 관계가 악화되는 것은 물론 아이의 행동도 바뀌지 않습니다.

아이의 두 손을 꼭 잡아주면 긴장했던 아이의 신체가 부드럽게 이완됩니다. 부모도 마찬가지입니다. 아이의 그릇된 행동에 순간적으로 흥분했더라도, 아이의 두 손을 잡으면 마음이 평온해집니다. 그 이유는 '옥시토신'이라는 호르몬 때문입니다. 옥시토신은 '사랑의 호르몬'으로 알려져 있습니다. 두 손 잡기, 안아주기, 귀 청소 해주기, 근육 풀어주기 등은 옥시토신의 분비를 촉진합니다. 아이에게 옥시토신이 많이 분비되면 부모의 이야기를 받아들이기 시작합니다. 부모의 이야기가 소리굽쇠처럼 아이의 감정을 진동시키고, 그 진동의 힘은 사랑으로 나타납니다. 사랑은 행복과 열정을 느끼게 해주고, 지치고 힘들 때 다시 기운을 낼 수 있도록 토닥여주지요. 아이의 손을 더 자주 잡아주고, 더 많이 안아주세요. 그러면 아이의 감정 온도가 내려갑니다.

집밥은 아이를
춤추게 한다

인생에서 성공하는 비결 중 하나는 좋아하는 음식을 먹고 힘내 싸우는 것이다
_마크 트웨인

여름철이 다가오면 어릴 때 마당에 멍석을 깔고 온 가족이 모여 저녁식사를 하던 기억이 떠오릅니다. 지금도 가슴이 따뜻해지는 소중한 추억입니다. 마당 위에는 멍석, 멍석 위에 우리 가족, 우리 가족 머리 위를 비춘 달빛과 별빛. 어쩌면 멍석이 아니라 별빛과 달빛을 깔고 저녁을 먹은 듯 합니다. 가족의 이야기에 달빛이 배경음악이 되어주었고, 별빛은 무대였습니다. 가끔 심술쟁이 바람이 모깃불을 몰고 와서 한바탕 웃음꽃을 피웠습니다.

어머니께서는 별식으로 팥죽을 해주시곤 했습니다. 옆에서 돕는 척하다가 힘들다고 도망가는 저를 보고 미소를 짓던 어머니의

모습이 잊히지 않습니다. 힘이 드셨는지 이마에는 땀방울이 송글송글 맺혀 있었지만, 두 눈에는 사랑이 가득했습니다. 다른 기억은 희미해졌지만 그 얼굴만큼은 선명하게 기억에 남아, 지금도 몸이 아프면 어머니 음식이 생각나곤 합니다. 어머니표 팥죽 한 그릇만 먹으면 금방 기운이 솟아날 것 같습니다. 가끔 지나가는 길에 팥죽 파는 곳이 보이면 그냥 지나치지 못하고 꼭 한 그릇을 비우곤 하는데, 그러면 몸과 마음이 가뿐해집니다.

우리 아이들도 어른이 되면 저처럼 어릴 때 먹던 음식을 떠올리겠지요. 부모님이 해준 음식은 몸에 들어가면 감정으로 기억됩니다. 감정은 기억 시스템에 들어가 우리 몸 전체에 퍼져 있다가 인생의 어떤 순간에 불쑥 얼굴을 내밉니다. 어머니가 해주시던 음식에 대한 기억은 지친 발걸음을 옮기게 해주는 에너지가 되기도 하고 포기하지 말라는 격려가 되기도 합니다.

• • •

최근 뇌과학에서는 신체와 감정의 관계를 연구하고 있습니다. 예를 들면 똑같은 잔소리도 식사 전에 듣느냐 식사 후에 듣느냐에 따라 감정 반응이 달라진다고 합니다. 꼭 해야 할 잔소리라도 식사 후에 하기를 권합니다. 맛있는 음식을 먹고 나면 우리 신체는 포만감을 느낍니다. 그 포만감이 감정에 여유를 주고, 누군가 신경을 거슬리는 행동을 해도 너그럽게 이해하게 해줍니다. 반대로 끼니를 거르고 배가 몹시 고픈 상태에서 누군가의 잔소리를 들으면 나의 감정은 평소보다 더 예민하게 반응합니다.

신체가 감정에 영향을 미치는 재미있는 사례를 하나 소개하겠습니다. 미국 국립과학원에서 가석방 심사를 전담하는 판사들의 심사 결과를 살펴보았습니다. 판사들은 매일 가석방 신청을 심사하는데, 평균적으로 35%만이 가석방 승인을 받는다고 합니다. 그런데 판사들의 결정에서 이상한 점이 발견되었습니다. 판사들이 식사를 마친 후에는 가석방 승인 비율이 65%로 크게 높아졌습니다. 반면 식사 전 2시간 동안에는 승인 비율이 점차 하락해서 점심 식사 직전에는 0%로 떨어졌습니다.

그 이유가 무엇이었을까요? 미국의 저명한 뇌과학자인 다마지오Antonio Damasio는 《스피노자의 뇌》라는 저서를 통해 신체와 감정의 관계를 구체적으로 이야기합니다. 그는 신체가 감정에 미치는 영향과 관계를 나무의 이미지로 설명했습니다. 사과나무를 예로 들어볼까요? 사과나무의 뿌리에는 자신을 보호하기 위하여 해로운 물질을 제거하는 면역 반응, 외부의 자극과 변화에 대한 기본

반사 작용, 에너지원을 흡수하는 대사조절 기능이 있습니다. 이러한 작용이 만족스러우면 쾌락을, 그렇지 못하면 통증을 일으킵니다. 사과나무의 줄기 부분이 쾌락이나 통증에 해당한다고 볼 수 있지요. 쾌락과 통증을 바탕으로 감정이 만들어지는데, 그 감정을 우리 뇌에서 인식하게 됩니다. 나무로 치면 가지 또는 열매라고 보면 됩니다.

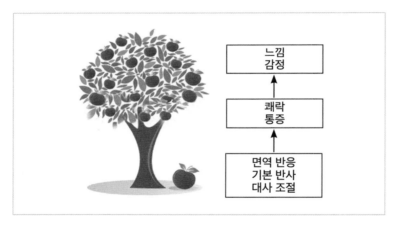

다마지오의 이론

다마지오의 이론을 보면 판사들의 신체 상태가 어떻게 가석방 판결에 영향을 주었는지 알 수 있습니다. 점심시간이 가까워질수록 뇌와 신체의 에너지는 고갈됩니다. 생명 유지를 위한 에너지원인 탄수화물, 지방, 단백질이 부족해지면 신체 내부에서 불쾌감이 생

아이를 위한 감정의 온도

성됩니다. 음식을 먹고 싶은 욕구가 강렬하지만 먹을 수 없는 상태이기 때문에 이때 들어오는 자극(가석방 심사)에 부정적인 감정이 작용합니다. 그 결과 기각이 많아졌을 것으로 예측해볼 수 있습니다.

요즘 학교에는 아침밥을 굶고 등교하는 아이들이 늘고 있습니다. 교문에서 아이들을 맞이하다 보면 과자 부스러기를 입에 물고 등교하는 아이들도 보입니다. 부모님이 미처 아침밥을 챙겨주지 못해 용돈을 주어 과자나 빵을 사 먹게 합니다. 아이들의 신체 내부에서는 에너지를 필요로 하는데, 아침밥으로 그 에너지를 충족시켜주지 않으면 불쾌감이 신체를 지배합니다. 그래서 누군가의 행동이 조금만 신경에 거슬려도 쉽게 다툼이 일어납니다. 아이들이 안정적인 몸과 마음으로 하루를 보내기 위해서는 부모님이 챙겨준 정성 담긴 아침밥도 큰 역할을 할 수 있습니다.

"공부해라"는 빼기,
"괜찮아"는 더하기

᛭

자녀교육의 핵심은 지식을 넓히는 것도 아니고 출세하는 것도 아니다.
단지 자존감을 높이는데 있다 _레프 톨스토이

부드러운 목소리로 말하고, 아이와 주파수를 맞추고, 정성을 들인
음식을 먹이는 것만으로도 아이들의 감정 온도를 낮출 수 있습니
다. 여기서 우리가 한 단계 더 노력할 수 있는 것은, 바로 '덧셈과
뺄셈'입니다. 아이들에게 종이를 나누어주고 부모님에게 듣고 싶
은 말과 듣기 싫은 말을 적어보라고 했습니다. 충분히 고민할 시간
을 주기보다는 그 순간에 떠오르는 생각을 바로 적도록 했습니다.
이렇게 하면 아이들의 감정을 비교적 직관적으로 파악할 수 있습
니다. 다음은 아이들이 부모님에게 듣고 싶은 말입니다. 학년별로
어떤 차이가 있는지 확인해봅시다.

아이를 위한 감정의 온도

【 2학년 】

- 밖에 나가서 놀자.
- 멋진 어른이 될 거야.
- 사랑해.
- 엄만 항상 네 편이야.
- 귀여워. 예뻐.
- 얘들아! 엄마 왔다.

- 고마워, 그리고 사랑해.
- 놀이공원에 가자.
- 밥 잘 먹네.
- 청소 잘한다. 공부 잘한다.
- 오늘은 좀 쉬면서 해.

【 4학년 】

- 잘 다녀왔어?
- 놀러 가자.
- 우와! 잘 만들었네.
- 고마워.
- 잘했어.

- 괜찮아.
- 갖고 싶은 것이 뭐니?
- 어이구, 우리 딸 다 컸네.
- 사랑해.

【 6학년 】

- 수고했어.
- 잘하는구나.
- 공부 별거 아니야. 건강하기만 해.
- 오늘 하루는 놀아.
- 우리 딸로 태어나줘서 고마워.

- 괜찮아.
- 사랑해.
- 할 수 있어.
- 고마워.
- 수고했어.

이어서 부모님에게 가장 듣기 싫은 말을 적어보게 했습니다. 학년별로 어떤 차이를 보일까요?

【 2학년 】

- 얼른 공부해.
- 엄마 눈엔 다 보여. 거짓말하고 있네.
- 빨리 숙제 안 해?
- 집에서 나가.
- 놀지만 말고 공부해.
- 얼른 방 치워.
- 엄마 아빠 이혼할까?
- 말귀를 못 알아먹어.

【 4학년 】

- 책 읽어.
- 그만 먹어.
- 조용히 해.
- 뭘 잘했다고 울어.
- 하기 싫으면 하지 마.
- 방에 들어가.
- 동생한테 그러지 마.
- 왜 이렇게 공부를 못하니?
- 숙제해라.
- 또 눈치 없게 구는구나.
- 공부해.
- 좀 움직여라.

【 6학년 】

- 책 좀 읽어라.
- 아빠랑 똑같네.
- 공부 좀 잘해라.
- 하기 싫으면 하지 마.

아이를 위한 감정의 온도

- 너를 믿었는데 실망이다.
- 누굴 닮아서 이렇게 말을 안 들어.
- 하기 싫으면 집에서 나가.
- 노력 좀 해.
- 공부해.

대체로 아이들이 가장 듣고 싶어하는 말은 '괜찮아', '힘들겠다'입니다. 아이들이 가장 듣기 싫어하는 말은 '공부해라'입니다. 아이들이 듣고 싶어하는 말은 더하고, 듣기 싫어하는 말은 빼면 아이들의 감정 온도는 자연히 내려갑니다. 여러분은 아이에게 어떻게 말하는 부모인가요?

자율적으로
선택하게 하자

물고기를 주지 말고 물고기 잡는 법을 가르쳐라 _인디언 격언

우리 부모님 세대가 가난을 이겨내고 성공하기 위한 유일한 길은 공부였습니다. 즉, 공부는 생존의 문제였기에 공부에 매달리고, 공부를 해야만 살아남을 수 있다고 여겼습니다. 그런데 우리 아이들 세대는 다릅니다. 실제로도 아이들은 공부와 관련 없는 진로를 선택해 성공한 사례를 인터넷이나 SNS를 통해 수없이 접하고 있습니다. 공부하라는 부모의 잔소리는 그저 공허하고 지겹게 느껴질 뿐입니다.

다만 초등학교 저학년 아이들에게는 공부하라는 부모의 잔소리가 나름 상당한 효과가 있습니다. 이 시기의 아이들은 부모를 세상

에서 가장 사랑하기 때문에, 기꺼이 부모의 바람대로 하려고 합니다. 부모와 자녀의 관계에서는 부모가 어떤 말을 하느냐가 아니라 아이들이 어떻게 받아들이느냐가 가장 중요합니다. 강요가 아니라 아이들이 스스로 수용하게 만드는 게 자녀교육의 핵심입니다.

　30년 넘게 교직 생활을 하면서 아이들의 성장을 관찰해오다 보니 바르고 건강하게 자란 아이들의 공통점이 보입니다. 바로 '자율적 선택'입니다. 선택의 중요성을 익히 알고 있는 부모들은 초등학교 입학 때부터 옷, 책가방, 학용품 같은 입학 선물을 아이가 직접 선택하게 합니다. 학원도 억지로 보내지 않고 아이가 원할 때 보내줍니다. 다만 아이가 자신의 선택에 책임을 질 수 있도록 분명하게 규칙을 정합니다. 예를 들어 학원을 그만둬야 하는 이유가 분명하지 않으면 학원에 다니기 싫어져도 중도에 그만둘 수 없게 합니다. 이것이 바로 자율적 선택입니다. 감정과 선택은 불가분의 관계에 있습니다. 즉, 사람은 어떤 감정을 느끼느냐에 따라 다른 선택을 합니다. 그런데, 스스로 선택하는 행위는 '자발성'과 '책임감'도 상승시킵니다. 그 이유는 무엇일까요?

　아이의 선택권을 존중하면 아이의 감정이 어떻게 움직일까요? 이에 대한 해답은 600만 년 동안 공동체를 이루고 살았던 인류의 조상에게서 찾아볼 수 있습니다. 수십 명 이하의 작은 공동체에서 살았던 우리 조상들이 생존하는 데 가장 중요한 것은 '연대감'이 었습니다. 하나의 덩어리처럼 결속되어야 이웃 부족의 침략을 막을 수 있었고, 맹수로부터 생명을 지킬 수 있었습니다. 이 연대감이 유지되려면 무엇이 필요할까요? 서로 간의 '존중'입니다. 서로 존중하는 공동체는 살아남았고 그렇지 못한 집단은 사라졌습니다. 그렇기에 우리 뇌는 부모를 비롯한 다른 사람으로부터 존중받고 싶은 욕구로 가득 차 있습니다.

아이가 직접 선택했을 때 '자발성'과 '책임감'이 높아지는 이유도 부모로부터 존중받고 있다는 감정 때문입니다. 독일의 사회학자 에리히 프롬Erich Pinchas Fromm은 그의 저서 《사랑의 기술》에서 우리 대부분이 사랑하는 법을 모른다고 주장하면서 사랑은 '끊임없는 관심과 존중'이라고 설명합니다. 어쩌면 이 시대를 살아가는 부모를 향한 조언이 아닌가 싶습니다. 우리는 아이들에게 끊임없이 관심을 보내지만, 과연 존중하고 있을까요? 오히려 부모의 사랑 때문에 아이들이 지치고 감정 온도가 올라가는지도 모릅니다.

● ● ●

초등학교 4학년 민건이의 이야기를 들려드리겠습니다. 민건이가 돌이 조금 지났을 때 《니모를 찾아서》라는 영화를 보여주었는데, 굉장히 집중해서 끝까지 보았다고 합니다. 이 영화는 인간에게 납치된 새끼 물고기 '니모'를 찾기 위한 아빠의 모험을 그리고 있지요. 이 영화를 본 뒤부터 민건이의 물고기에 대한 사랑이 시작되었습니다. 심지어 '엄마'라는 말보다 '꼬이(물고기)'라는 말을 먼저 했답니다. 엄마는 유난히 물고기에 집착하는 민건이가 걱정되어 전문가와 상담도 하고, 자녀교육서도 열심히 읽었습니다. 엄마는 결국 물고기에 대한 민건이의 관심, 즉 아이의 선택을 존중하기로 했습니다. 그때부터 민건이가 용돈을 모아 직접 물고기 관련 용품을 사도록 했고, 엄마는 관련 도서를 지원해주었습니다. 민건이는 조금씩 모은 용돈으로 물고기와 몇만 원씩 하는 어항을 장만했습니다. 최근 관심을 두고 있는 물고기는 10만 원이 넘어서, 용돈을 더 열심히 모으고 있는 중이랍니다. 민건이는 현재 '물고기 사랑'이라는 커뮤니티 카페를 운영하고 있습니다. 담임선생님에 따르면, 민건이는 물고기에 대한 지식이 해박할 뿐만 아니라 교우관계도 좋고 수업 집중도도 매우 높다고 합니다. 민건이는 어른이 되면 물고기 박사가 되어 우리에게 자연의 지혜를 선물해주리라 확신합니다.

마음의 공터
'쉼'

한가로운 시간은 그 무엇과도 바꿀 수 없는 재산이다 _소크라테스

도심을 걷다 보면 가끔 공터가 눈에 띕니다. 자세히 들여다보면 어디서 날아왔는지 풀꽃들의 세상이 펼쳐져 있습니다. 바람일까요? 아니면 참새일까요? 누가 풀꽃의 씨앗을 가져왔는지 알 수 없지만, 척박한 도심 속에도 작은 공간만 생기면 어김없이 풀꽃이 싹을 틔워 주인 노릇을 합니다. 별꽃, 민들레, 광대나물, 냉이꽃, 나팔꽃, 토끼풀 등 이른 봄에 시작하여 늦은 가을까지 그 수를 헤아릴 수 없습니다. 이 땅의 본래 주인은 풀꽃이라는 생각이 듭니다. 그들의 세상 일부를 우리가 잠깐 빌려 쓰고 있는 것이지요.

아이들에게도 공터가 있습니다. 수업과 수업 사이에 쉬는 시간

이 아이들의 공터입니다. 모든 놀이 시간이 아이들의 공터이지요. 그곳에서 만나는 아이들은 풀꽃과 비슷합니다. 수업 시간에 볼 수 없는 강인한 생명력이 느껴집니다. 친구와 부딪쳐 넘어져도 손바닥을 몇 번 털고 일어납니다. 아마 교실에서였다면 큰 싸움이 벌어졌겠지요. 저학년 아이가 축구공에 걸려 넘어지니 고학년 형은 미안해서 어쩔 줄 몰라합니다. 게임 규칙을 가지고 토론을 벌이기도 합니다. 서로 옳다고 주장하며 한바탕 싸움이 벌어질 태세입니다. 수업 시간에는 적극적인 참여가 적고 지지부진하기만 했던 토론이 아이들의 공터에서는 활발하게 일어나는 셈입니다.

생각하고 판단하는 능력은 수업 시간에 길러집니다. 반면 감정은 아이들의 공터인 쉬는 시간에 길러집니다. 이성이 머리에서 자란다면 감정은 신체에서 자랍니다. 친구와 마주 잡은 손에서 '다정'이라는 감정이 자랍니다. 축구공을 패스하는 아이들의 발에서는 '배려'라는 감정이 자랍니다. 줄넘기하는 아이들의 두 볼에서 '도전'이라는 감정이 자라고, 골을 넣고 환호하는 아이의 양손에서는 '당당함'이라는 감정이 자랍니다. 도심의 공터에서 풀꽃이 자라듯이 쉬는 시간이라는 공터에서 아이들의 감정이 자랍니다.

풀꽃이 예쁜 꽃을 피우기 위해서는 공터뿐 아니라 물, 햇빛 등 양분이 필요합니다. 우리 아이들도 마찬가지입니다. 생각하고 판단하는 능력을 키우는 데도 적절한 양분이 필요합니다. 그 양분이 감정일 수도 있습니다. 목표를 분명히 세우려면 '자존감'이라는 감정이 필요하고, 실패해도 다시 일어날 수 있는 '도전'이라는 감정이 성장해야 합니다. 생각을 더 오래 하려면 '인내'라는 감정이 필요하고, 생각을 더 깊게 하려면 '즐거움'이라는 감정도 필요합니다. 감정은 배움의 양분이며, 감정이 자라야 배움이라는 꽃을 활짝 피울 수 있습니다.

● ● ●

얼마 전 독일의 소아 청소년과 의사가 쓴 《번아웃 키즈》라는 책을 읽었습니다. 이 책에서는 우울, 무기력, 피로를 호소하는 아이들이 점점 늘고 있으며, 이들을 잘 살펴보면 탈진한 상태라고 설명합니다. 이 아이들은 자신에게 주어진 부담을 최대한 이겨내려고 노력하다가 어느 순간 탈진해버립니다. 독일 아이들 중 대략 25%가 이 증상을 보인다고 합니다.

우리 아이들은 어떨까요? 구체적인 통계 수치는 없지만, 학습량이 세계 최고 수준인 우리 아이들은 이미 상당수가 탈진한 상태라고 보아야 합니다. 요즘 아이들의 감정이 거칠어진 이유 중 하나도 이처럼 탈진한 아이들에게 양분이 되어줄 공터가 점점 줄어들고 있기 때문입니다.

물론 풀꽃은 아주 작은 빈틈에서도 자랍니다. 보도블록 사이를 비집고 피어난 노란 민들레처럼 말이죠. 너무 가냘퍼서 안쓰러울 정도입니다. 지나가는 사람들의 발에 밟혀 꽃이 꺾이거나 잎에 상처가 나기도 합니다. 아이들도 마찬가지입니다. 쉬는 시간이라는 공터가 작은 빈틈이 되어버리면, 제일 먼저 행복한 감정에 상처를 입습니다. 즐거움, 도전, 배려, 감사 같은 감정이 보도블록 사이의 민들레처럼 위태로워집니다. 그 자리를 불행한 감정이 대신합니다. 불안, 불평, 미움, 분노 같은 감정이 자라기 시작합니다.

감정의 특징 중 하나는 마치 벽돌을 쌓아 올릴 때처럼 차곡차곡 쌓인다는 점입니다. 배려, 감사와 같은 행복한 감정들은 돌담처럼 쌓이지만 분노, 두려움, 미움 등 불행한 감정들은 콘크리트처럼 아주 단단하게 쌓입니다. 이렇게 쌓인 불행한 감정은 쉽게 허물어지지 않습니다. 초등학교 시절 이미 번아웃된 아이들은 불행한 감정이 가득 쌓인 아이들입니다. 설령 지금은 괜찮아도 계속해서 불행한 감정이 쌓이면 언젠가는 번아웃이 됩니다. 이 시기는 빠르면 초등학교 3, 4학년, 늦으면 중·고등학교, 더 늦으면 성인이 되어서도 찾아올 수 있습니다.

체험학습을 다녀오는 버스 안에서 아이들이 기사님께 제발 천천히 가달라고 조릅니다. 이유를 물었더니 이렇게 대답합니다. "일찍 도착하면 학원에 가야 해요." 아이들은 안전을 위해서가 아니라 학원에 가기 싫어서 버스가 천천히 가길 바랍니다. 하교 시간의 풍경도 비슷합니다. 아이들은 바로 집에 가지 않고 교실이나 운동장에서 친구들과 시간을 보냅니다. 학원이라는 새로운 학교에 가기 싫기 때문입니다.

점점 아이들의 휴식 시간이 줄어들고 있습니다. 아이들의 공터가 작은 빈틈이 되어가고 있습니다. "공부 열심히 하고 있니?"라는 엄마의 질문에 아이는 우물쭈물합니다. 공부하는 시간은 늘었는데, 실제로 공부를 열심히 하는 것 같지는 않습니다. 쉽게 말하면 공부를 하는 것도, 안 하는 것도 아닙니다. 이게 아이들의 솔직한 마음입니다. 학교와 가정에서 아이에게 휴식 시간을 늘려주어야 합니다. 아이들에게는 커다란 공터가 필요합니다. 도심의 공터에서 예쁜 풀꽃이 자라듯이, 아이들의 공터에서 예쁜 감정이 자랄 수 있습니다.

가족여행을 하고, 영화관이나 미술관에 데려가는 것 정도면 아이들에게 충분한 휴식이 될 거라고 생각하는 부모들이 많지만 아이들에게 그런 시간은 공터가 아닙니다. 오히려 아빠와 운동장에서 신나게 공놀이를 하면서 보내는 시간, 혹은 엄마와 손잡고 동네를 산책하며 좋아하는 친구 얘기를 하는 시간이 공터를 넓히는 방법입니다. 어제보다 오늘 더 놀아주고, 함께 더 웃고, 학원에 빠졌더라도 조금 덜 혼내는 것이 아이들에게 공터를 만들어주는 것입니다.

감정도 결국
습관이다

감정을 조절하는 데는 단기 처방전과 장기 처방전이 있습니다. 우리가 지금까지 다룬 이야기는 사실 감정에 대한 단기 처방입니다. 말 그대로 미움, 분노 등의 불편한 감정을 짧은 시간 내에 효과적으로 다스리는 방법입니다. 단기 처방전은 순간적인 감정을 다스리기에는 매우 효과적이지만 시간이 지나면 원래의 상태로 돌아간다는 단점이 있습니다. 화를 잘 내는 아이에게 '한점 응시하기'를 2~3분 정도 시키면, 마음이 평온해지면서 자신의 잘못을 이야기합니다. 앞으로는 그러지 않겠다고 다짐합니다. 하지만 1시간도 지나지 않아 본래의 모습으로 돌아갑니다. 아이들뿐 아니라 어른들도 그렇습니다.

감정을 위한 장기 처방전은 무엇일까요? 주변에서 감정이라는 호수의 크기가 넓은 사람들을 가끔 만날 수 있습니다. 감사하는 태도가 습관으로 굳어진 사람들입니다. 그들은 웬만큼 거센 바람에는 끄떡없습니다. 그런 사람을 보면 미소가 지어지고 다가가고 싶습니다. 그들이 갖고 있는 '감사의 처방전'을 이해하려면 '습관'의 원리를 알아야 합니다. 왜냐하면 감정은 결국 습관이기 때문입니다.

우리가 무의식적으로 늘 반복하는 행동이 있습니다. 이를 닦을 때 오른쪽 아래 어금니부터 시작한다든가, 옷을 입을 때 꼭 상의보다 하의를 먼저 입는다든가 하는 행동들 말이지요. 만약 우리 뇌의 해마가 쪼그라져 치매에 걸린다 하더라도 이런 습관은 바뀌지 않습니다. 뇌과학자들의 연구에 의하면 감정도 그렇습니다. 어제 화를 낸 사람은 오늘도 비슷한 상황이 닥치면 화를 냅니다. 아마 내일도 마찬가지일 겁니다. 치매에 걸려도 비슷한 상황에서 화를 내게 됩니다.

그 이유는 '습관 회로' 때문입니다. 우리의 뇌는 반복되는 행동 패턴을 기억하여 회로를 만듭니다. 예를 들어 화가 날 때마다 술집을 찾는 사람이 있다고 합시다. 이 같은 행동을 3주만 반복하면 일정한 행동 패턴이 형성되고, 석 달이 넘으면 습관으로 굳어집니다. 술을 못 마시던 사람도 일주일에 두세 번씩 똑같은 시간에 맥주를 마시는 행동을 반복하다 보면 어느새 술 먹는 게 익숙해집니다.

뇌가 습관 회로를 만드는 이유를 한마디로 정의하면, 에너지를 아끼기 위해서입니다. 뇌의 에너지원은 포도당입니다. 생각이나 기억 등 의식적인 활동을 하면 포도당 소비가 늘어납니다. 포도당 소비가 늘어나면 다른 창조적인 활동을 할 수 없습니다. 예를 들어 걸을 때, '왼발, 오른발, 왼발, 오른발' 이렇게 속으로 되뇌며 의식한다면 어떨까요? 뇌의 에너지 소비가 굉장히 많아지고, 발걸음에 신경 쓰느라 반대쪽에서 맹수가 다가와도 미처 알아차리지 못하게 됩니다. 우리의 생명 유지에 커다란 구멍이 생길 수 있습니다. 그래서 뇌는 반복되는 행동에는 그다지 주의를 기울이지 않습니다. 이때 동원되는 방법이 바로 습관 회로입니다. 뇌는 반복되는 행동 패턴을 기억하여 회로를 만들고, 회로를 통해 뇌 활동을 최소화하고, 남은 에너지로 창조적인 일을 합니다.

그리고 이런 습관 회로를 만드는 역할을 뇌의 '기저핵'이 합니다. 기저핵은 감정 뇌를 감싸고 있는 구조물입니다. 쉽게 생각하면 감정 뇌와 생각 뇌의 중간쯤에 있다고 보면 됩니다. 의식적인 행동에는 생각 뇌의 전전두엽, 감정 뇌의 기저핵과 중뇌 등이 동시에 작용합니다. 그런데 습관 회로가 만들어지면 이 중에서 생각 뇌의 전전두엽의 활동이 생략됩니다. 그리고 감정 뇌의 중뇌에서는 쾌감이라는 도파민을 방출합니다.

• • •

이제 감정과 습관의 관계를 살펴보겠습니다. 사소한 일에도 예민해지고 별일 아닌데도 욱하는 아이들이 있습니다. 친구와 어깨만 스쳐도 싸움을 일으키는 아이의 뇌를 들여다보면 어떻게 작동하고 있을까요? 친구의 어깨가 닿는 순간 아이의 뇌에서는 지금의 상황과 유사한 과거의 경험을 찾아냅니다. 경험들은 기억 창고에 저장되어 있습니다. 마치 인터넷 검색창에 단어를 입력하면 검색 결과가 나타나듯 유사한 경험의 목록이 쫙 펼쳐지고, 아이는 그중 현재 상황과 가장 비슷한 것을 선택합니다. 그리고 뇌는 그때 했던 행동과 같은 행동을 하라는 명령을 내리지요. 아이는 과거에도 친구와 어깨를 스쳤을 때 공격적인 반응을 보였으므로 이에 따라 이번에도 고함을 지르고 친구와 싸움을 시작합니다. 말로 설명하니 복잡하게 느껴지지만, 뇌에서는 이 과정이 순식간에 일어납니다.

아이들의 분노는 과거의 경험이 바탕이 된 반복적인 행동입니다. 감정도 결국 습관이라는 얘기지요. 우리의 뇌는 옳고 그름을 판단하지 않습니다. 다만 반복적인 행동은 생존에 유리하고, 새로운 행동은 불리하다는 것을 알 뿐입니다. 우리의 유전자 기록이 습관 회로를 통해 새로운 행동은 생존에 위협을 줄 수 있고, 반복적인 행동을 해야 살아남는다고 알려주기 때문입니다.

다시 감정에 대한 장기 처방전 얘기로 돌아가 보겠습니다. 친구가 밀어도 웃어넘기고 마는 아이들이 있습니다. 이 아이들의 뇌에도 역시 기억 창고가 있어서, 방금 일어난 일과 비슷한 경험을 검색합니다. 아마도 이 아이들의 기억 창고에는 '친구가 밀었을 때 웃어넘겼다'고 기록되어 있을 겁니다. 이러한 습관 회로에 의해 아이는 화를 내지 않고 그냥 넘깁니다. 결국, 근본적으로 감정 온도를 내리기 위해서는 새로운 습관 회로를 만들어야 합니다. 뇌가 화를 내는 대신에 웃어넘기는 선택을 하게 하는 기억 체계를 만들어야 합니다. 물론 '웃어넘기기'가 목록에 있어야 합니다. 그러려면 아이들의 기억 창고에 친구가 밀면 웃어넘겼던 경험이 존재해야 합니다. 그것이 바로 새로운 감정 습관 회로를 만드는 방법입니다.

아이를 위한 감정의 온도

감정은
자전거 타기

성공은 매일 부단하게 반복된 작은 노력의 합산이다 _요한 볼프강 폰 괴테

우리가 화를 내는 행동은 뇌의 입장에서는 '사과'라는 과일을 인지하는 과정과 똑같습니다. 빨갛고 동그란 사물이 눈앞에 있다고 합시다. 이때 뇌는 기억 창고를 뒤져 지금 보이는 사물과 일치하는 모양을 가진 것을 찾아내서 '사과'라고 알려줍니다. 만약 기억 창고에 사과에 대한 정보가 없다면 어떻게 될까요? 새로운 개념으로 기억 창고에 저장될 겁니다. '빨갛고 동그란 과일은 사과'라고 기억되는 것입니다. 이것이 곧 배움입니다. 감정도 마찬가지입니다. 친구가 나를 밀쳤습니다. 나의 뇌는 기억 창고를 검색합니다. '웃어넘기기'라는 검색 결과가 나옵니다. 나는 친구에게 씩 웃어줍니

다. '화'라는 검색 결과만 나오는 아이에게 '웃어넘기기'라는 검색 결과가 나오도록 목록을 추가하는 것이 감정에 대한 장기 처방전입니다.

어떻게 해야 새로운 목록을 추가할 수 있을까요? 일단 자주 욱하는 아이에게는 다시는 그런 행동을 하지 말도록 가르쳐야 합니다. 욱하는 것은 주위에 감정의 오물을 튀기는 행동이라고 알려줍니다. 아이들은 대부분 다음부터는 그러지 않겠다고 약속하지만 그 약속이 깨지기까지는 그리 오래 걸리지 않습니다. 부모는 분명 가르쳤지만 아이에게는 입력이 되지 않는 것입니다. 아이가 왜 약속을 어기는 걸까요? 이것은 당연한 결과입니다. 스키를 처음 배울 때 강사는 "무릎을 구부리고 발 모양을 A자로 만드세요. 정면을 바라보고, 몸에는 힘을 빼야 합니다"라고 가르칩니다. 그 말만 듣고 스키를 탈 수 있는 사람이 있을까요?

뇌의 기억 창고는 두 유형으로 존재합니다. 먼저 우리 동네에서 가장 오래된 식당은 어디인지, 오늘 점심에 누구와 밥을 먹었는지 등을 기억하는 것은 '서술적 기억'입니다. 두 번째는 스키나 자전거처럼 반복 훈련을 통해서 형성되는 기억으로 '절차적 기억'이라고 합니다. 스키를 배울 때 수없이 넘어지고 일어서기를 반복합니다. 그런 과정을 통하여 스키를 타는 동작을 머리가 아닌 몸으로 기억합니다. 한 번 배우고 나면 10년이 지나도 몸이 스키 타는 법을 기억하고 있습니다.

부모가 아이에게 욱하는 행동은 좋지 않다고 설명했다면, 이건 어떤 기억에 해당할까요? 당연히 서술적 기억입니다. "그러지 말라고 했어, 안 했어?"라고 물어보면 아이는 "했어요"라고 대답할 겁니다. "근데 왜 그래?"라고 나무라도 아이는 고개만 숙일 뿐입니다. 아이가 배운 대로 행동에 옮기지 못하는 이유는 감정이 서술적 기억이 아니라 절차적 기억이기 때문입니다. 새로운 습관을 통해 새로운 절차적 기억을 형성해야 욱하는 아이를 씩 웃는 아이로 바꿀 수 있습니다.

절차적 기억의 핵심은 반복 훈련입니다. 마치 스키나 자전거를 배우는 것처럼 감정도 연습해야 합니다. 좀 막연하게 느껴지시나요? 생각보다 쉽고 효과적인 연습 방법으로 우선 '상상하기'가 있습니다. 스포츠 심리학에서는 이미지 트레이닝이라고 하는데, 저는 학교에서 '괜찮아' 훈련이라고 부릅니다. 잔잔한 클래식이나 명상 음악을 들려주면서 눈을 감게 합니다. 그리고 다음과 같은 문장을 들려주고, 상상하게 합니다. '웃어준다'는 말이 나올 땐 실제로 아이들이 미소 짓게 합니다.

- 친구가 복도에서 밀쳤다고 상상합니다. 친구에게 "괜찮아"라고 하면서 웃어줍니다.
- 친구가 내 책상 위의 물건을 떨어뜨렸습니다. 친구에게 "괜찮아"라고 하면서 웃어줍니다.
- 친구의 실수로 운동장에서 부딪쳤습니다. 친구에게 "괜찮아"라고 하면서 웃어줍니다.

• • •

'괜찮아' 훈련 1단계에서 가장 중요한 요소는 반복입니다. 수없이 넘어지고 일어나기를 반복해야 스키를 배울 수 있습니다. 아이들에게 스키를 배우는 과정을 설명하고, 감정도 스키를 배우는 것과 비슷하다고 알려줍니다. 그리고 아이들이 여러 가지 상황에서 '괜찮아'를 몸으로 익히도록 합니다.

2단계는 '역할 놀이'입니다. '괜찮아' 훈련 1단계를 역할 놀이로 수행합니다. 서로 짝을 이루어 한 사람은 밀치고, 다른 사람은 "괜찮아"라고 하면서 미소를 짓습니다. 이런 과정을 매일 5분 정도 30일 동안 지속하면 아이들에게 절차적 기억이 만들어지기 시작합니다. 당연히 '욱하는' 감정이 '괜찮아' 감정으로 바뀝니다. 이제 사소

아이를 위한 감정의 온도

한 일에는 "괜찮아"라고 하는 새로운 습관 회로가 만들어졌습니다.

'괜찮아' 훈련은 스스로에게도 적용할 수 있습니다. 불평, 불만을 입에 달고 사는 동료는 아무리 노력해도 좋아지지 않죠. 일단 출근길 지하철에서 그 동료를 마주치면 억지로라도 미소 짓는 연습을 매일 반복합니다. 매일 그렇게 하다 보면 어느 순간 그 사람과 마주쳤을 때 저절로 미소가 떠오릅니다. 억지 미소가 아닙니다. 그 사람에 대한 절차적 기억이 만들어진 것입니다. 미소만 지었을 뿐인데 신기하게도 그 사람이 조금씩 좋아지기 시작합니다. 상대방도 마찬가지입니다.

저희 학교에서는 '감사 수첩'을 만들어 하루에 세 가지씩 감사한 일을 찾아 기록하는 연습을 하고 있습니다. 사람, 사물, 자연 등 감사 대상을 자유롭게 선택할 수 있습니다. 단, 감사의 내용은 구체적으로 작성하게 합니다. 예를 들어 '엄마가 맛있는 걸 해주셔서 감사하다'가 아니라 '오늘 아침 떡볶이를 해주셔서 감사하다'로 기록합니다. '코스모스가 꽃을 피워줘서 고맙다'보다는 '꽃을 활짝 피워줘서 고맙다'처럼 형용사를 넣어서 표현하도록 지도합니다. 감사 수첩을 작성해 '감사'라는 감정을 반복 훈련하도록 지도합니다. 아이들에게 '감사'라는 감정이 절차적 기억으로 남게 하기 위함입니다.

감정의 보물,
책 읽기

한 시간의 독서로 사그라지지 않는 걱정은 결코 없다 _샤를 드 스공다

책을 좋아하는 아이와 싫어하는 아이의 가장 큰 차이점은 무엇일 까요? 어휘력에서 큰 차이를 보일 거라고 예상하는 분들이 많습니 다. 아무래도 책을 좋아하는 아이들은 많은 단어와 이야기를 접하 다 보니 상황에 어울리는 적절한 표현을 다양하게 익히는 경우가 많습니다. 시험을 치를 때도 문제의 의도를 잘 이해하기 때문에 자 연스럽게 성적이 좋아집니다. 반면 책을 싫어하는 아이들은 교과 서의 지문이나 수학 문제의 의도 등을 잘 파악하지 못해 좋은 성적 을 받지 못하는 경향이 있습니다.

　더 큰 차이점은, 일반적으로 책을 좋아하는 아이들은 감정 온도

가 낮고, 싫어하는 아이들은 감정 온도가 높다는 것입니다. 학교에서 독서 모임을 해보면 적극적으로 참여하는 아이들은 공부도 잘하고 마음이 예쁜 경우가 많습니다. 마음이 예쁘다는 건 세상을 긍정적으로 바라보고, 불평하기보다 기쁨과 감사를 느끼며 생활하고 있다는 뜻이지요. 즉, 감정의 온도가 낮다는 말입니다.

책을 많이 읽는 아이들이 대개 이런 모습을 보이는 비결은 바로 '기억'에 있습니다. 앞서 언급했듯이 기억은 감정과 한몸입니다. 우리가 떠올릴 수 있는 모든 기억에는 감정이 묻어 있습니다. 책을 읽는 행위는 작가의 생각과 감정을 기억 창고에 저장하는 일입니다. 만약 '부모님께 감사하자' 혹은 '자연에 감사하자'와 같은 주제의 책을 읽는다면 그 생각이 기억 창고 중에서도 '감사'라는 방에 차곡차곡 저장됩니다. 이것이 반복되면 감사의 열매가 주렁주렁 매달린 뇌 구조가 만들어집니다.

여기서 한 가지 신기한 일이 발생합니다. 기억 창고에서 '감사'라는 방의 크기가 커지면 '불평', '불만'이라는 방은 쪼그라들기 시작합니다. 꽃밭을 예로 들어볼까요? 흐드러지게 핀 유채꽃을 상상해봅시다. 유채꽃밭을 잘 들여다보면 유채꽃 사이사이에 이름 모를 풀꽃들이 숨어 있습니다. 개구리발톱이나 들개미자리도 보입니다. 그런데 멀리서 보면 유채꽃에 가려 이것들이 잘 보이지 않습니다. 기억 창고에서도 마찬가지입니다. '감사'라는 꽃이 많아지면 '불평'이라는 작은 풀꽃은 가려져서 잘 보이지 않게 됩니다. 나중에는 그 흔적까지 사라집니다.

●●●

책은 타인의 삶을 대리 체험할 수 있다는 큰 장점이 있습니다. 타인의 기쁨과 고통을 간접적으로 경험할 수 있습니다. 《열세 살 학교 폭력 어떡하죠》라는 책을 읽으면 상처 입은 아이들의 아픔을 간접 체험할 수 있습니다. 《김연아의 7분 드라마》를 읽으면 노력을 간접 체험할 수 있습니다. 전래동화를 읽으면 주인공들의 효심, 예의 바름, 감사하는 마음 등을 간접 체험하게 됩니다. 이러한 체험이 쌓이면 뇌 구조가 달라집니다. 이것이 뇌과학자들이 말하는 '신경 가소성'입니다. 경험이 뇌 구조를 달라지게 만듭니다.

뇌 구조가 달라진다는 것은 뇌 속에 있는 기억 창고 모양이 변한다는 뜻입니다. 즉, 책을 많이 읽으면 다른 사람을 이해하는 '공감'이라는 감정의 방은 커지고, '불평'이나 '불만'이라는 감정의 방은 작아집니다. '공감'이라는 감정의 방이 커지면 감정 호수의 모양과 크기도 변합니다. 다르게 표현하면, 감정 온도가 낮아집니다. 불평을 많이 하는 사람이 호수를 찾아오면 미소를 보내고, 화를 잘 내는 사람이 찾아오면 이야기를 들어줍니다. 그 호수를 방문하는 사람 누구나 기쁜 마음으로 돌아갑니다. 독서광으로 잘 알려진 빌 게이츠Bill Gates는 "오늘의 나를 있게 한 것은 우리 마을의 도서관이었습니다. 하버드대학교 졸업장보다 더 소중한 것은 독서 습관입니다"라고 말했습니다. 그의 말이 장기적 감정 처방전의 기본 교과서입니다.

감정은 포도처럼
뇌에 저장된다

우리의 모든 기억에는 감정이 여러 색깔로 칠해져 있습니다. 돌아가신 부모님을 생각하면 슬프고 눈물이 날 듯하다가, 자녀가 태어난 날을 생각하면 행복감에 벅차오르는 기분이 드는 건 기억과 감정이 한몸이기 때문입니다. 우리 뇌에서는 이 기억을 어떤 모양으로 저장하고 있을까요?

요즘은 뇌과학의 발달로 뇌가 어디에 기억을 저장하고 인출하는지에 관한 획기적인 논문들이 다수 나오고 있습니다. 그중 가장 주목받는 뇌과학자는 캘리포니아대학교 신경학과 교수인 잭 갤런트 Jack Gallant입니다. 그는 2005년부터 fMRI를 이용해 사람들의 머릿속에서 벌어지는 뇌 활동을 측정하여 생각을 엿보는 작업을 꾸준히 해왔습니다. 그리고 지난 2015년에는 《네이처》라는 과학 저널에 뇌가 기억을 어디에 저장하고 인출하는지 보여주는 지도를 만들어 공개했습니다.

그는 실험 참가자들에게 '수학은 어려워', '수학 교과서'와 같이 '수학'이라는 단어가 공통으로 들어있는 문장을 여러 번 들려주었습니다. 만약 '수학'이라는 단어를 들려줄 때마다 뇌의 특정 부분의 활동이 강하게 감지된다면, 바로 그곳에 '수학'이라는 단어가 저장되어 있을 겁니다. 이런 방식으로 사람들의 뇌에 일상의 단어들이 저장되어 있는 부분을 알아낼 수 있었습니다.

다만 사람마다 단어가 저장되어 있는 위치는 달랐습니다. 예를 들면, 철수는 뇌의 앞쪽에 '수학'이라는 단어가 저장되어 있다면, 영희는 똑같은 단어가 뇌의 옆쪽에 저장되어 있는 식입니다. 갤런트의 연구에서 특히 주목할 부분은 단어의 저장 방식입니다. 사람에 따라 어휘가 저장되는 위치는 달라도 저장되는 방식은 모두 같았습니다.

다음 페이지의 그림을 보면 여러 가지 색깔의 점들이 보입니다. 그 각각의 점들은 우리의 뇌에 단어가 기록되어 있는 모습입니다. 그런데 이 그림을 자세히 살펴보면 놀라운 사실을 발견할 수 있습

뇌 속에 단어가 저장되는 방식 (출처: http://connectivity.brain-map.org)

니다. 이를테면 '가족'이라는 단어 주변에는 '어머니', '아버지', '형제' 등의 단어가 저장되어 있습니다. 이것은 무슨 의미일까요? 우리 뇌가 어떤 개념을 중심으로 여러 가지 정보를 연결지어 기억한다는 뜻입니다.

예를 들어 '식물'이라는 단어가 저장된 위치 주변에는 식물과 관련된 여러 가지 정보가 포도송이처럼 연결되어 있습니다. 식물이라는 단어를 중심에 두고 그 주변에 '장미', '목련', '개나리', '숲', '새싹', '눈물', '발견' 등 식물에 관련된 개인적인 경험이 포도알처럼 주렁주렁 매달려 있는 겁니다. 더 놀라운 사실은 이 개념들

아이를 위한 감정의 온도

은 다시 더 큰 개념에 연결되어 있다는 것입니다. 위의 그림에서는, 생물체Organism를 중심으로 '식물Plant', '사람Person', '동물Animal' 등이 서로 연결되어 있는 것을 볼 수 있습니다.

단어가 개념을 중심으로 포도송이처럼 뇌 속에 저장되는 방식을 통해 감정이 우리 마음에 어떻게 쌓이는지 예상해볼 수 있습니다. 예를 들면 '슬픔'이라는 감정에는 어떤 일에 실패했던 경험, 불행했던 사건, 절친했던 사람과의 헤어짐, 슬픈 노래, 가족의 죽음 등과 같은 힘들었던 일들이 연결됩니다. '기쁨'이라는 감정에는 자녀의 탄생, 누군가로부터 칭찬받았던 경험, 사랑하는 사람과의 만남, 생일날 친구로부터 선물을 받았던 일 등이 연결될 테고요.

인간이면 누구나 기쁨, 사랑, 보람, 행복, 감사 등의 긍정적 감정과 화, 고통, 슬픔, 미움, 모멸감, 싫음, 억울함 등의 부정적 감정을 모두 갖고 있습니다. 다만 포도나무에 매달려 있는 포도알의 개수가 모두 다르듯이, 사람마다 각 감정에 맺힌 열매의 개수가 다를 뿐입니다. 어떤 사람은 '분노'라는 감정에 수백 개의 열매가 달려 있고, '감사'라는 감정에는 열매가 아주 적게 맺혀 있기도 합니다. 반면 '슬픔', '분노', '미움'이라는 감정 나무에는 열매를 거의 찾아볼 수 없고, '사랑', '감사', '보람'이라는 감정 나무에 풍성한 열매를 가지고 있는 사람도 있습니다. 내가 가지고 있는 감정의 열매를 보면 지금까지 어떻게 살아왔는지를 생생히 알 수 있겠지요. 단, 나는 내가 가진 감정의 열매를 볼 수 없고, 주변 사람들만 볼 수 있습니다. 각각의 감정에 맺힌 열매의 모양에 따라 그 사람의 인격과 삶이 달라집니다.

믿음이 감정 온도를
낮춘다

이 세상에 태어나 우리가 경험하는 가장 멋진 일은 가족의 사랑을 배우는 것이다
_조지 맥도널드

제가 근무했던 학교에 폭력 사안 하나가 접수되었습니다. 자세히 들어보니 6학년 여학생 네 명이 5학년 여학생 한 명을 괴롭힌다는 내용이었습니다. 5학년 아이가 6학년 언니들에게 인사도 잘 안 하고, 잘난 체를 하길래 훈계를 좀 했답니다. 5학년 아이와 부모도 문제가 확대되기를 원하지 않아 그 사안은 곧 마무리되었습니다. 하지만 아이들의 말과 행동, 눈빛은 앞으로도 많은 문제가 일어나리라는 것을 예측하게 했습니다.

당시 저는 이 학교의 교감으로 발령받은 지 한 달이 조금 지났을 때라서 학교 실정을 정확히 파악하지 못하고 있었습니다. 그래서

오랫동안 이곳에 근무해온 동료 교사에게 물어보니, 이 아이들은 5학년 때부터 이미 '문제아'로 불리고 있었답니다. 친구들도 무서워하고, 선생님들도 골치 아프게 생각하는 모양이었습니다. 이 아이들을 그대로 두면 나중에 큰 문제를 일으키리라는 것을 오랜 교육 경험으로 알 수 있었습니다. 아이들을 불러, 이번 사안을 그냥 넘어가는 대신에 매주 금요일 중간놀이 시간에 교감실에 오도록 다짐을 받았습니다.

다음 금요일에 아이들이 교감실을 찾아왔습니다. 아이들을 위해 따뜻한 음료와 과자를 준비해두었더니, 아이들이 놀라는 눈치였습니다. 꾸중을 들을 것으로 예상했는데, 과자를 먹으라고 하니 "정말 먹어도 되나요?"라고 의아해하며 물어보았습니다. "그래. 너희들에게 교감선생님이 주는 선물이란다"라고 말해주었습니다. 과자와 음료를 모두 먹고 나서 아이들에게 다시 한번 물었습니다. "매주 금요일 중간놀이 시간에 과자와 음료를 준비해놓으면 항상 놀러 오겠니?" 아이들에게 "네"라는 대답을 듣고 돌려보냈습니다. 사실 아이들에게 훈계를 좀 하려고 했는데, 좋아하며 과자를 먹는 모습에 아무 말도 하지 못했습니다.

그다음 주 금요일, 아이들이 다시 찾아왔습니다. 지난주보다 아이들의 표정이 많이 밝았습니다. 특별히 교감선생님이 싫지 않은 모양이었습니다. 아이들에게 제 초등학교 시절 이야기를 들려주었습니다. 개구리 뒷다리를 구워 먹었던 일, 감나무에 오르다 떨어졌던 일, 종일 냇가에서 놀았던 일, 학교를 다녀오면 가방을 던져놓고 놀기만 했다는 이야기도 했습니다. 공부 때문에 놀 시간이 없고, 놀 공간도 사라진 요즘 아이들에게 미안하다고도 했습니다. 이 모두가 어른들의 잘못이라고 말해주었습니다.

그날 이후 이 아이들과 친구가 되었습니다. 아무리 바쁜 일이 있어도 금요일 중간놀이 시간은 그 친구들과 함께 보냈습니다. 금요일에 출장이 잡히면 다른 요일에 만났습니다. 그러면서 이 아이들과 정이 들기 시작했습니다. 심지어 다른 아이들의 이야기나 비밀도 저에게 슬쩍 알려주더군요. 덕분에 그해에는 학교 폭력 전담기구가 회의를 한 번도 열지 않았습니다.

• • •

그해 11월 어느 날이었습니다. 그날따라 일찍 학교에 갔는데, 그네 아이 중 한 명이 교감실 앞에서 울고 있었습니다. 놀라서 다가가니 아이가 울며 말했습니다. "어제 부모님이 이혼했어요. 교감선생님께 이 말을 하고 싶었어요." 순간 아무 말도 할 수 없었습니다. 지금도 제 교직 생활에서 가장 가슴 아픈 순간 중 하나입니다.

이 아이들과 1년을 보내면서 아이들의 마음에 관하여 많은 고민을 하게 되었습니다. 담임 시절에는 눈앞의 아이들을 감당하느라 고민할 시간이 적었는데, 한발 물러서서 아이들을 바라보니 그들의 외로움이 보이기 시작했습니다. 요즘 아이들은 마치 혼자 살아가는 듯합니다. 학원에서 집으로 돌아오면 캄캄한 거실이 아이를 맞이합니다. 아이는 불을 켜고 혼자 밥을 차려 먹습니다. 형제가 있다 해도 학원을 마치는 시간이 달라 집에 오면 늘 혼자입니다. 혼자서 주로 게임을 하거나 TV를 봅니다. 부모님은 늦게 귀가해 아이에게 묻습니다. "숙제는 다 했니? 아직도 안 했어?"

이혼율이 높고 맞벌이 가구가 대부분인 현대 핵가족 사회에서 가장 외로운 건 부모가 아니라 아이들입니다. 어쩌면 아이들의 외로움을 가정과 학교 모두 외면하고 있는지도 모릅니다. 외로움이 점점 커지면 아이들은 어떻게 될까요. 외로움이 무기력으로 얼굴을 바꿉니다. 선생님도, 숙제도, 공부도, 학원도 모두 싫고 아무것도 하고 싶지 않습니다. 아이들이 외롭고 무기력해질 때 나타나는 행동 중 하나가 친구와의 연대입니다. 나의 외로움을 달래줄 수 있는 친구를 찾아 두리번거립니다. 설령 품행이 단정하지 못해도 내 마음을 이해해주면 친구가 될 수 있습니다. 아이들은 집단을 이루고, 비행 행동도 마다하지 않습니다.

어른들은 공부라는 명목하에 아이들의 기쁨과 행복을 빼앗고 있습니다. 아이들이 집에 와도 이야기를 들어줄 사람이 없고, 놀 수 있는 공간도 점점 사라져갑니다. 풀밭도, 냇가도, 넓은 운동장도 없는 외로운 생활 속에서 아이들은 점점 고립되어갑니다. 아이들의 감정 온도를 낮추려면 외로움을 달래주어야 합니다. 아이들의 외로움을 달래주는 방법은 이야기를 들어주는 것입니다. 그렇게 해주는 사람이 부모라면 가장 좋겠지요. 세상에서 단 한 사람만이라도 자신의 감정을 읽어줄 누군가가 있다면 아이들은 어긋나지 않습니다. 아이에게 따뜻한 음료를 건네면서 입은 닫고, 귀는 열어둔 채 행복한 미소를 보여주세요.

부모의 감정은
아이의 감정

아이에게 비평보다는 몸소 실천해 보이는 모범이 필요하다 _조제프 주베르

담임교사가 가정 방문을 다니던 시절이 있었습니다. 대부분 1990년대 초 사라졌지만, 그 효과를 주장하는 일부 학교에서는 2000년대 초까지 유지했습니다. 당시 가정 방문을 마치고 집으로 돌아오는 길은 자동차 브레이크에 닿은 발바닥에 감각이 느껴지지 않을 만큼 고됐지만, 아이를 깊이 있게 이해하고 부모님들로부터 귀중한 지혜를 얻기도 하는 시간이었습니다.

가정 방문을 하다 보면 부모님들은 크게 두 부류로 나뉩니다. 첫번째 유형은 '듣는 유형'입니다. 자기 생각을 말하기보다 교사 얘기를 주로 듣는 학부모입니다. 필기도구를 미리 준비해서 교사의

이야기를 빠짐없이 기록하지만 질문을 많이 하지는 않습니다. 하지만 일단 질문을 하면 그 내용이 매우 예리하고 정확합니다. 아이를 충분히 관찰하지 않았다면 답할 수 없습니다. 다음번 상담을 위해서 더 많은 준비를 해야 합니다. 아이에게 더 많은 관심을 가질 수밖에 없습니다. 이런 유형의 학부모에게서 꼭 듣게 되는 말은 "저희 아이가 담임선생님을 좋아합니다"입니다.

두 번째 유형은 '말하는 유형'입니다. 교사의 얘기를 듣기보다 교육에 대한 자신의 소신을 들려주는 학부모입니다. 교육 철학이 분명해, 주로 어떤 방식으로 아이를 가르쳐왔는지 설명합니다. 이분들의 이야기를 듣다 보면, 아이의 뛰어난 점과 부족한 점이 그림으로 그려집니다. 다만 이런 유형의 학부모 밑에서는 바르게 성장하는 아이들도 있지만 그렇지 않은 아이들도 있습니다. 그중에서 "행동이 바르지 않으면 매를 든다"는 학부모의 아이들은 성장 속도가 특히 느립니다.

당시 저희 학교의 교장선생님은 "아이의 가정을 파악하지 않으면 제대로 된 교육이 이루어질 수 없다"고 주장하셨습니다. 숲을 그리기 위해서는 숲으로 들어가야 합니다. 숲에 어떤 꽃과 나무가 사는지, 어떤 풀꽃이 숨어 있는지 눈으로 확인해야 합니다. 마찬가지로 학교에서의 아이들은 멀리서 보는 숲과 같습니다. 엄마, 아빠,

동생과의 관계는 물론이고 부모의 사이가 좋은지 나쁜지에 따라 아이는 상처를 받거나 희망을 얻습니다. 부모와 아이가 원하는 것의 차이점을 아는 것도 중요합니다. 한 아이를 이해하기 위해서는 사실 이렇게 많은 정보가 필요합니다.

• • •

가정 방문을 떠올리면 지금도 또렷이 기억나는 학부모가 있습니다. 이름만 들으면 알 만한 큰 건설사의 회장이셨습니다. 그 집 현관에 들어서니 거실 한가운데 동그란 방석이 하나 놓여 있는 것이 보였습니다. 아이의 부모님이 저를 그 방석에 앉으라고 하고는 갑자기 큰절을 하셨습니다. 마치 신혼여행에서 돌아온 신랑 신부가 부모님께 큰절을 올리는 것처럼 말이지요. 이어서 아이도 부모님을 따라 큰절을 했습니다. 살다 보면 생각지 못하게 당황스러운 날이 종종 있는데, 이날이 바로 그런 날이었습니다. 교사로 재직하면서 가장 당황스러운 순간이자 가장 울림이 큰 날이었달까요?

그 당시 저는 20대 후반이었고, 아이의 아버지는 40대 후반이었습니다. 아이가 방으로 들어간 후 아이 아버지가 작은 목소리로 이렇게 말씀하셨습니다. "제 행동을 통해서 아이가 배우기 때문입니

아이를 위한 감정의 온도

다." 많은 의미가 담긴 말씀이었습니다. 아버지가 담임선생님을 큰 절로 받들 만큼 존경하니 자식도 당연히 선생님을 존경해야 함을 몸으로 보여주고자 한 것이지요. 지금도 그 아이가 항상 저에게 존경과 애정의 눈빛을 보내던 것이 기억납니다. 이 아이는 어떻게 되었을까요? 지금은 훌륭하게 성장해서 사회의 리더로서 활동하고 있습니다. 그 부모님의 큰절은 제게도 '교육은 말이 아니라 행동'이라는 가르침을 선물해주었습니다.

가정 방문이라는 제도는 사라졌지만, 아이들의 마음은 그때나 지금이나 똑같습니다. 아이들은 어른들의 행동을 통해서 배우고 자랍니다. 어른들이 하루에도 몇 번씩 읊어주는 공자, 맹자와 같은 말씀을 아이들은 한 귀로 듣고 한 귀로 흘려버립니다. 아이의 귀에는 들릴지 모르지만, 아이의 감정에는 닿지 않기 때문입니다. 말로 하는 가르침은 감정에 닿을 수 없습니다. 진정한 의사소통은 행동을 통해서 완성됩니다.

우리의 생각과 행동, 나아가서 인생의 방향을 결정하는 감정은 나침반 혹은 자동차의 윤활유와 같습니다. 그래서 우리 아이들이 바르게 성장하도록 감정을 움직여야 합니다. 아이들의 감정을 움직일 수 있는 방법은 딱 하나입니다. 행동으로 진실하게 보여야 합니다.

행동이 아이들의 감정을 자극하고, 감정이 생각이 되어 삶의 방향을 결정합니다. 이런 이유로 부모 노릇 하기가 어렵습니다. 부모라면 아이를 위해 늘 진실성을 보여주어야 합니다. 상대가 누구든 진실하고 선하게 대해야 합니다. 그런 부모의 향기가 아이의 향기가 됩니다. 부모의 감정 온도가 아이의 감정 온도입니다.

"사랑해"라고
답해주자

인생에 있어서 최고의 행복은 우리가 사랑받고 있음을 확신하는 것이다
_빅토르 위고

부모에게는 자식이라는 두 글자가 '세상을 버틸 수 있게 만드는 힘'이라고 합니다. 부부 사이의 갈등이 심하고, 경제적으로 어려워도 자식의 잠든 얼굴을 바라보면 새로운 힘이 솟아납니다. 부모에게 자식은 또 다른 나이며, 세상의 어떤 불안과 두려움도 극복할 수 있는 힘입니다. 아이들도 마찬가지입니다. '엄마'와 '아빠'라는 두 글자는 아이들에게 생명의 에너지입니다. 식물은 태양 에너지로 광합성을 하고, 꽃을 피우고, 열매를 맺습니다. 아이들에겐 부모가 태양 에너지입니다.

학교에서 아이들이 언제 가장 진지한 모습을 보일까요? 바로 부

모님과 관련된 활동을 할 때입니다. 부모님께 편지를 쓰라고 하면 아이들은 세상에서 가장 아름다운 꽃으로 변합니다. 들썩이던 어깨가 차분해지고 눈에는 사랑이 가득합니다. 꼭 잡은 연필로 정성스럽게 또박또박 써 내려갑니다. 귀여운 1학년이든, 사춘기 6학년이든 똑같습니다. 모범생 남수도, 가끔 말썽을 피우는 건우도 마찬가지입니다. 모든 아이가 그렇습니다. 그만큼 아이들은 부모를 좋아합니다. 만약 부모님이 아이의 이런 모습을 본다면 눈시울이 뜨거워질 것입니다.

아이들은 부모에게 잘하는 모습만 보여주고 싶어 하고, 공부를 열심히 해서 부모님을 뿌듯하게 만들어주고 싶어 합니다. 오랫동안 아이들을 관찰하면서 부모 외에 친척이나 학교 선생님 등 다른 존재의 역할은 매우 제한적이라는 것을 느꼈습니다. 아이들은 그무엇보다 부모의 에너지로 배우고 성장합니다. 그런 아이들이 때로는 힘들다고, 때로는 지친다고, 또 때로는 사랑한다고 말하고 있습니다. 부모로서 우리는 그 목소리에 귀를 기울이고 있나요?

다음은 아이들이 부모님에게 하고 싶은 말을 자유롭게 적은 것입니다.

- 심부름하는 건 힘들어요.
- 엄마, 사랑해요.
- 엄마, 일 많이 하지 말고, 커피 조금만 드세요.
- 엄마, 아빠랑 싸우지 마세요.
- 엄마, 저 학원 몇 군데만 다닐 수 없나요?
- 엄마, 태어나게 해주셔서 감사합니다.

- 엄마, 사랑합니다.
- 키워주셔서 감사합니다.
- 엄마, 아프지 마시고 힘내세요.
- 엄마, 제발 제 기분도 모르면서 마음대로 판단하지 말아주세요.
- 엄마, 밤에 혼자 휴대폰 하지 마세요.
- 엄마, 이래라저래라 하지 마세요.
- 태어나게 해주셔서 감사합니다.
- 엄마, 아침부터 화내지 마세요.
- 엄마, 잔소리 듣기 싫어요.
- 내 엄마가 돼주셔서 감사합니다.
- 엄마, 술 드시지 마세요.

【 4학년 】

- 엄마, 사랑해요.
- 엄마, 잔소리 좀 줄여주세요.
- 같이 놀아주세요.
- 엄마, 말 안 들어서 죄송해요.
- 엄마, 게임 많이 해서 미안하고 사랑해요.
- 엄마, 사랑합니다. 그리고 죄송해요.
- 키워주셔서 감사합니다.
- 엄마, 힘들어하지 마세요.
- 엄마, 사랑해요. 아빠, 우리를 위해 애써 주셔서 감사합니다.

【 5학년 】

- 엄마, 주말에 놀러 가고 싶어요.
- 동생 편 조금만 들어주셨으면 좋겠어요.
- 엄마, 힘내세요. 사랑합니다.
- 잔소리 좀 그만해요.
- 정말 감사합니다.
- 아프지 말고 건강하세요.
- 엄마, 내가 가방 안 숨겼어요. 의심하지 말아주세요.
- 엄마, 옷 입을 때 참견하지 마세요.
- 휴대폰 마음대로 사용하게 해주세요.
- 엄마, 화 좀 그만 내세요.
- 우리 가족 중 한 명이 잘못하면 한 명만 혼내세요.
- 엄마, 공부 좀 덜 하게 해주세요.

아이를 위한 감정의 온도

【 6학년 】

- 엄마, 사랑해요.　　　　　• 미안해요.
- 동생도 잘못 했는데 나만 꾸중하지 마세요.
- 엄마, 나도 노력하고 있어요.
- 엄마, 난 열심히 노력하는데 제발 노력 안 한다고 말하지 마세요.
- 엄마, 학원 쉬고 싶어요.　　　• 엄마, 힘들어요.
- 엄마, 울고 싶을 땐 울어도 되고 힘들 땐 힘들다고 하세요.
- 나에게 신경 안 썼으면 좋겠어요.
- 엄마, 학원 다니기 힘들어요.
- 동생과 싸워서 스트레스받게 해드려서 죄송해요.
- 하라는 거 다 할 테니 기다려주세요.
- 엄마, 아침밥이랑 점심밥 챙겨주세요.

아이들이 부모에게 가장 하고 싶은 말은 바로 "사랑해요"입니다. 이제 부모도 마음을 담아 "나도 사랑해"라고 답할 차례입니다.

아이를 귀한 손님으로 여기고, 아이에게 선택권을 주면 됩니다. 부모의 욕심과 체면을 조금 내려놓으면 됩니다. 부드럽고 낮은 목소리로 아이 손을 잡고 "엄마, 아빠가 많이 사랑해. 내 아들, 딸로 태어나줘서 고마워"라고 말하면 됩니다. 아이가 가장 예쁜 본연의 모습, 기쁨과 행복으로 빛나는 모습을 찾게 하기 위해서는 말입니다.

감사하는 아이로
바뀌는 21일 법칙

나는 누가 나를 칭찬하거나 비난하거나 개의치 않는다.
내 감정에 충실할 뿐이다 _볼프강 아마데우스 모차르트

21일 법칙을 들어보셨나요? 미국 맥스웰 몰츠Maxwell Maltz 박사는 저서 《성공의 법칙》에서 "무엇이든 21일간 반복하면 습관이 된다"고 설명했습니다. 21일 법칙으로 '감사'라는 감정을 키울 수 있습니다. 21일 동안 감사 일지를 기록해 보세요. 나, 가족, 사회, 자연 등에서 감사한 일을 찾아 매일 3가지에서 5가지씩 기록하면 좋습니다. 요즘은 SNS가 잘 발달해있습니다. 네이버 밴드band라는 플랫폼에 '우리 가족 감사 일지'라는 모임을 만들어 보세요. 해당 모임 게시판에 매일 감사 일지를 댓글로 달면 됩니다. 감사 일지는 여는 글과 감사 글로 구성되어 있습니다. 여는 글은 엄마나 아빠가 작성합니다. 여는 글 첫머리에 '○월 ○일 감사 일지 작성 1일 차'라고 적은 뒤 아래에 가족에게 전하고 싶은 말을 간단하게 써주세요. 감사 글은 여는 글에 댓글로 답니다. 감사 일지를 처음 쓰기 시작했을 때는 하루에 3가지 정도만 작성하고 일주일 뒤에 5가지로 늘려보세요.

21일은 습관을 우리 몸에 배도록 만드는데 걸리는 최소한의 시간입니다. 그래서 21일 동안 감사 일지를 작성했어도 감사가 완전한 습관으로 굳어지기에는 부족합니다. 감사가 습관이 되려면 감사 일지 2단계가 필요합니다. 가족과 함께 앞서 설명한 감사 일지 1단계를 마쳤다면 한 달의 휴식 기간을 가진 뒤 감사 일지 2단계를 시작하세요. 2단계에서는 새롭게 21일 동안 감사 일지를 작성하게 됩니다. 1단계는 일상생활에서 무작위로 감사할 일을 찾았다면 2단계는 내 자존감을 향상할 수 있는 '나에게 감사'를 추가시킵니다. 스스로 감사한 마음이 늘어날수록 감사가 습관으로 쉽게 굳어집니다. 하루에 감사 항목 5개를 찾아서 기록하는데 1번 항목에는 반드시 내게 감사하는 내용을 담아야 합니다. 'What + How + 이런 내가 좋다 + 감사하다' 순으로 적으면 됩니다. 아래 예시를 보여드리겠습니다.

된장찌개 + 맛있게 먹는 가족 모습 + 이런 내가 좋다 + 감사하다
=> 오늘 아침에는 된장찌개를 끓였습니다. 특별히 조개 몇 개를 더 넣었습니다.
맛있게 먹는 가족의 모습을 보니 가슴 한쪽이 찡합니다. 이렇게 가족을 위해 노
력하는 내가 좋습니다. 내 마음에 감사합니다.

나에게 감사하다 보면 자연스럽게 자존감이 높아집니다. 자존감
은 어려운 일과 힘듦을 이겨낼 수 있는 근본적인 에너지입니다. 자
존감이라는 감정도 뇌 과학에서 보면 기억의 양입니다. A라는 사
람은 '나를 존중하는 마음'을 10개 가지고 있고, B라는 사람은 100
개를 가지고 있다고 가정해봅시다. 당연히 100개를 가진 사람의
자존감이 더 높습니다. '나에게 감사'는 나를 사랑하는 개수를 늘
리는 일입니다. 감사 일지 3단계에서는 자존감, 감사, 감성, 창의성
을 융합해야 합니다. 1번 항목에는 '나에게 감사'를, 2번에서 4번에
는 자유로운 내용을 적습니다. 5번 항목에는 자연에 감사하는 내
용을 담습니다. 느낌을 다루는 능력은 자연에서 가장 쉽게 길러집
니다. 바람, 구름, 해, 달, 별, 꽃, 나무 등을 관찰하면서 달라진 점이
나 떠오르는 생각을 적어보세요. 감사 일지 3단계에서는 각 항목
의 문장 개수를 늘려야 합니다. 1, 2단계에서 각 항목당 2개에서 3
개의 문장을 작성하셨다면 3단계에서는 4개에서 5개의 문장으로

아이를 위한 감정의 온도

써보세요. 문장의 양을 늘리려면 연결 능력이 필요합니다. 사물과 사물을 연결하고 정교하게 다듬어야 합니다. 이러한 과정에서 자연스럽게 글쓰기 능력과 창의성이 길러집니다.

감사 일지의 1, 2, 3단계를 모두 마무리하셨나요? 감사 일지를 통해 '감사'를 핵심 감정으로 키울 수 있습니다. 감사라는 감정은 부모의 감정 호수를 넓혀 감정의 온도를 낮춰줍니다. 그러면 아이의 감정 온도도 자연스럽게 내려가겠지요. 감사 일지로 기른 감사하는 습관은 뇌의 기억 창고에 변화를 일으킵니다. 분노만 가득 차 있던 자리에 감사가 들어옵니다. 감사라는 감정이 증가해 공격성이 수그러들고 웃는 아이로 변합니다. 감사 일지는 부모와 아이가 욱하는 상황을 줄입니다. 그러면 아이는 또래들 사이에서 유쾌한 아이로 소문납니다. 감정의 온도가 낮아져 학습 욕구와 열정도 높아집니다.

아이들은 부모의
뒷모습을 보고 자랍니다

아이들에게 부모와 가정은 세상에 태어나 제일 먼저 접하게 되는 작은 세계입니다. 아이들은 부모를 통해 세상을 바라보는 시선을 배우고, 삶을 꾸려나가기 위한 실마리를 찾아냅니다. 그 과정이 서툴고, 때로는 실수를 하거나 잘못을 저지르기도 합니다. 부모의 역할은 그 모든 단계를 지켜보고, 곁에서 도와주는 것입니다. 아이들이 안전하게 실수하고 배워나갈 수 있도록 말이지요.

부모는 기본적으로 아이들이 표현하는 부정적인 감정에 민감하게 반응할 수밖에 없습니다. 평소 말을 잘 듣던 아이가 갑자기 밥을 굶거나 문을 쾅 닫고 방으로 들어가면 당황스럽고, 혹 엇나가지 않을까 걱정부터 됩니다. 하지만 부정적인 감정 자체를 나쁜 것으로 치부하며 서둘러 덮기 이전에 왜 그런 감정을 느끼는지, 또 그 감정을 어떻게 다루어야 하는지를 차근차근 알아가야 합니다. 이 책에서 다루었듯 감정과 원활하게 소통하는 법을 알게 되면 아이도 자신이 느끼는 부정적 감정을 훨씬 건강하게 표현하고 해소하게 됩니다.

우리가 배운 여러 가지 감정 처방전은 어찌 보면 오늘 당장 실천할 수 있는 간단한 방법이면서, 한편으로는 어색하고 어렵게 느껴질 수도 있습니다. 사람은 원래 하던 행동을 이어가려는 관성이 있기 때문에, 작은 변화를 만들어내기도 쉽지 않습니다. 하지만 의식적으로 조금씩 노력한다면 분명히 새로운 습관은 내 것이 됩니다. 부모가 감정을 잘 조절하고 어려운 상황에서 차분하게 감정을 전환할 수 있는 능력을 갖출수록 아이의 감정 조절 능력도 발달할 수 있습니다. 아이에게 욱하며 화를 내는 게 아니라 아이를 이해하고, 대안을 제시하며, 바람직한 태도를 보여주면서 아이의 거울이 되어주어야 합니다.

그리고 이는 아이들을 위한 것인 동시에 부모 자신을 위한 것이기도 합니다. 부모가 불안과 스트레스를 내려놓아 감정 온도를 낮추면 아이를 위한 안전한 환경이 만들어지고, 그런 아이가 부모를 정서적으로 안정시키는 선순환이 이루어지기 때문입니다. 서로가 한 단계씩 성숙하고 그만큼 행복해지는 방법입니다.

사실 요즘 뉴스를 보면 하루가 멀다고 무섭고 안타까운 사건 사고가 너무 많이 벌어집니다. 어른들의 어른답지 못한 행동이 사회를 더 불안하게 만들고 있지는 않은지 부모로서 미안한 마음이 듭니다. 우리 어른들이 먼저 자신의 감정을 알아차리고 건강한 사회를 꾸려나가야, 그 안에서 아이들도 스스로를 상처 입히지 않고 건강하게 자라날 수 있습니다.

알고 보면 부모와 아이는 모두 불완전한 존재입니다. 서로의 감정을 보듬고 도와주는 상호 보완적인 관계로서 함께 성장해나가야 합니다. 혼내기보다 사랑해주고, 말로 가르치기보다 직접 행동으로 보여준다면 아이는 자연히 감정 온도를 안정적으로 조절하게 됩니다. 아이는 세계를 조금씩 확장해나가며, 부모는 내가 행복해질 수 있도록 참고, 기다리고, 지켜봐주는 사람이라는 것을 깨닫습니다.

마지막으로 제 친구 부부의 이야기를 들려드릴까 합니다. 부부가 모두 꽃을 좋아해 거실과 베란다에 싱그러운 식물을 빼곡하게 키웁니다. 이들 가족은 주말이 되면 집 근처의 호수공원으로 나들이를 가곤 했습니다. 아침 일찍 출발하여 호수 근처 큰 나무 아래에 돗자리를 펼칩니다. 엄마, 아빠는 책을 읽고, 아이들은 잔디밭에서 나비를 쫓아 뛰어다닙니다. 그러다 어느 순간 아이들도 돗자리 위로 합류하여 엄마, 아빠와 함께 책을 읽고 지나가는 구름을 향해 손을 흔들기도 합니다. 슬슬 배가 고파지면 집에서 준비해온 맛있는 도시락을 나눠 먹습니다. 점심을 먹고 나면 아이들과 나란히 누워 낮잠을 잡니다. 호수가 고운 붉은색으로 물들 때까지 아이들과 그곳에서 시간을 보냈는데, 이런 아이들을 보면서 설렘에 가슴이 먹먹했다고 합니다.

그 친구의 아이들은 학원 하나 다니지 않았지만 훌륭하게 성장했습니다. 지금은 국내 최고의 대학에서 박사 과정을 밟고 있습니다. 하루는 외국 여행 중이던 아들에게서 전화가 왔답니다. 지금 보이는 노을이 너무 아름다운데, 어린 시절 엄마, 아빠와 시간을 보냈던 호수가 생각났다고요. 그 호수공원에서 보았던 석양과 비슷했나 봅니다. 그 친구는 아이들이 공부를 잘해서가 아니라 따뜻한 감성을 지닌 사람으로 성장해주어서 고맙다고 합니다. 공부도 잘하고, 거기에 풍부한 감성까지 갖추었으니 밥 안 먹어도 배가 부르겠다고 제가 한마디 했습니다. 나이가 들수록 바르게 성장해가는 자식을 보는 것이 가장 행복한 일이라는 옛 어른들의 이야기를 그 친구를 통해서 실감할 수 있었습니다. 교사도 과학자도 아닌 평범한 친구 부부의 삶에서 교육의 진리를 배웠습니다.

부모가 언제까지나 아이에게 잔소리할 수는 없기에, 우리는 아이가 스스로 내면의 힘을 기르도록 해야 합니다. 불안한 부모는 아이의 삶에 하나부터 열까지 관여하고, 그만큼 자신의 기대를 충족시키길 은연중에 바랍니다. 물론 이 모든 것이 사랑에 기반하지만 이런 관계가 아이를 불안하게 하고, 자신의 감정에 집중하기보다 주변의 긴장감에 휘둘리게 합니다. 감정을 알면 자신이 행복해지는 법을 알게 됩니다.

결국, 이 책에서 전하고 싶은 메시지는 '가르치지 말고 보여주라'는 것입니다. 아이들과 더불어 살아가고 있는 선생님들, 부모님들께 사랑이라는 씨앗을 뿌리고 용기와 인내라는 버팀목이 되어 아이들을 지켜달라는 당부를 드리고 싶습니다. 아이들이 긍정적인 원동력을 얻고, 힘든 일이 있어도 나름대로 해결책을 내면으로부터 끄집어낼 수 있는 어른으로 자라나기 위해서는 지켜보는 어른들의 믿음이 필요합니다. 이제 곳곳에 숨어 있는 감정, 내 안에 언제나 있었으나 직면한 적 없어 서먹했던 감정들을 찾아 대화를 나눠보시기 바랍니다. 감정의 온도를 낮추는 것은 부모와 아이가 한층 행복해지고, 세상 속에서 아름답고 재미있는 것들을 더 많이 발견해낼 수 있는 비결이 될 것입니다.

아이를 위한 감정의 온도

2020년 10월 7일 초판 1쇄
2020년 11월 11일 초판 4쇄

지은이·한성범
펴낸이·박영미
펴낸곳·포르체

출판신고 2020년 7월 20일 제2020-000103호
전화 02-6083-0128 | 팩스 02-6008-0126

ⓒ 한성범 (저작권자와 맺은 특약에 따라 검인을 생략합니다)
ISBN 979-11-971413-8-6 13590

- 포르체는 여러분의 소중한 원고를 기다립니다.
  porchebook@gmail.com